LA CUISINE VÉGÉTARIENNE

La Cuisine Végétarienne

Sélection Champagne inc.

Première édition en 1994 par Lorenz Books
© Anness Publishing Limited 1994
© Éditions Manise pour la version française

Directrice des éditions : Joanna Lorenz
Responsable éditorial : Samantha Gray
Conception artistique : Adrian Morris
Photographe : Michael Michaels
Cuisinière : Wendy Lee

ISBN : 2-84 198 007-3
Dépôt légal : septembre 1996
Imprimé en Chine

**Distribué par
Sélection Champagne Inc.
Montréal, Québec
(514) 595-3279**

 CE SYMBOLE INDIQUE QUE LA RECETTE PROPOSÉE CONVIENT AUX VÉGÉTALIENS.

SOMMAIRE

INTRODUCTION
6

SALADES ET PLATS DE LEGUMES
138

SOUPES ET ENTREES
12

RÉCEPTIONS ET PIQUE-NIQUES
176

DEJEUNERS ET DINERS LEGERS
40

DESSERTS ET VIENNOISERIES
216

PLATS PRINCIPAUX
80

INDEX
252

INTRODUCTION

Grâce à la variété des ingrédients fins et naturels qui existent aujourd'hui, les possibilités des repas végétariens sont devenues illimitées. Dans cet ouvrage, vous découvrirez des recettes, toujours irrésistibles, convenant pour toutes les occasions !

Introduction

Certains nutriments sont indispensables au corps humain pour que celui-ci reste sain et alerte, qu'il conserve de bons niveaux d'énergie et de résistance à la maladie, pour que les organismes jeunes grandissent bien et que les plus âgés tirent toujours le meilleur de la vie. L'être humain est naturellement omnivore, dans la mesure où son corps peut assimiler une grande variété d'aliments ; ses facultés de discernement lui permettent toutefois de faire des choix parmi ce vaste ensemble. Pour un nombre croissant de personnes dans le monde occidental, ces choix s'orientent aujourd'hui vers la consommation de repas sans viande, voire sans aucun produit animal, qui n'impliquent pas la souffrance ou la mort d'animaux.

Ce développement du végétarisme en Occident a attiré notre attention sur l'attrait que pouvait présenter une cuisine sans viande. Nous avons découvert le plaisir de cuisiner des céréales, des légumes secs et des légumes frais dont nous apprécions désormais la beauté des couleurs, des formes et des textures. Cette tendance a encouragé beaucoup d'entre nous à réétudier nos régimes alimentaires et nos méthodes de préparation.

Cet ouvrage est donc destiné non seulement aux personnes déjà converties aux vertus du végétarisme, mais aussi aux « omnivores » à qui nous espérons donner l'envie de découvrir l'alimentation végétarienne et montrer qu'il est possible de préparer un repas délicieux et attrayant sans être soumis à la tyrannie du vieux principe « une viande et deux légumes ».

L'alimentation équilibrée idéale est celle qui contient une quantité suffisante de calories, de protéines, d'hydrates de carbone, de matières grasses, de vitamines et de minéraux. Aucun aliment ne contient à lui seul tous les nutriments dont nous avons besoin, bien que certains en contiennent plus que d'autres. Le secret est donc de manger une grande variété d'aliments pour vous assurer de consommer tout ce dont vous avez besoin. Quelques préférences et aversions ne posent pas de problème, mais, en trop grand nombre, elles peuvent signifier que vous ne consommez pas tous les nutriments nécessaires.

La règle d'or que les nutritionnistes et les médecins préconisent est de manger de tout modérément. Variété et modération sont particulièrement importantes pour les végétariens ; une petite entorse de temps à autre est acceptable, mais l'excès d'un ou de deux aliments (surtout s'il s'agit de matières grasses) peut provoquer des problèmes de santé. Consommant beaucoup de céréales, de légumes frais et secs et de fruits, les végétariens ont une alimentation riche en fibres alimentaires. Cependant, ils doivent être attentifs à ne pas augmenter leur consommation de produits laitiers riches en graisses, tels que le fromage, le beurre et la crème.

Comme les consommateurs de viande, ils devront ne pas abuser de produits potentiellement riches en cholestérol. Lorsque c'est possible, choisissez des produits allégés – il en existe de plus en plus sur le marché –, du lait écrémé ou demi-écrémé plutôt que du lait entier, des yaourts et du fromage blanc pauvres en matières grasses et des fromages à pâte molle au lait écrémé.

Le fer peut également poser un problème particulier aux végétariens. Ils doivent non seulement connaître les aliments pouvant leur en apporter, mais aussi savoir que le fer contenu dans les légumes ne peut être assimilé par l'organisme que s'il est associé dans le même repas à de la vitamine C, qui sert de catalyseur. Un petit morceau de fruit, une salade fraîche ou même une bonne quantité de jus de citron pallie ce problème.

Les végétaliens (les personnes qui excluent également les produits laitiers) doivent consommer suffisamment de calcium, soit sous forme de comprimés, soit sous forme de lait de soja enrichi en calcium. Ils doivent également compléter leur alimentation avec d'autres vitamines telles que la vitamine B2 (riboflavine) et B12, et des minéraux tels que l'iodine, contenue notamment dans le sel iodé. Une alimentation végétalienne peut être aussi saine qu'une alimentation omnivore

ESSAYEZ DE MANGER CHAQUE JOUR UNE BONNE SÉLECTION DE CHACUNE DE CES CATÉGORIES D'ALIMENTS :

❑ céréales, dont pâtes, riz (brun et blanc), avoine (dont porridge), orge, quinoa et céréales ou biscuits de petit-déjeuner riches en fibres

❑ pain et pommes de terre, cuites avec un minimum de matières grasses

❑ légumineuses : lentilles, haricots rouges, pois cassés, fèves, etc.

❑ beaucoup de légumes frais, en particulier des légumes à feuilles comme les épinards, et des fruits frais

❑ yaourt nature non sucré, pauvre en matières grasses, fromage à pâte molle au lait écrémé, fromage frais

❑ petites quantités de fruits secs (abricots, pruneaux, raisins, etc.) et de noix non salées (cacahuètes, amandes, noix, noisettes, etc.)

❑ quantité raisonnable de fromage, surtout de fromages gras

❑ quantité raisonnable d'huile, de margarine, de beurre et de crème

❑ quantité très modérée de produits transformés contenant des « graisses cachées » – biscuits, gâteaux, chips, pâtisseries

équilibrée, tant que ses adeptes sont bien informés des aliments dont ils ont besoin.

LES BASES DE L'ALIMENTATION VÉGÉTARIENNE

Les amidons
Aujourd'hui, nutritionnistes et médecins nous encouragent tous à consommer beaucoup plus d'aliments riches en hydrates de carbone, ce qui convient parfaitement aux végétariens et à tous les cuisiniers créatifs, car ces aliments se prêtent à de nombreuses recettes, sont nourrissants et – intérêt suprême – bon marché. Ils se conservent bien sans réfrigération et peuvent être cuits avec un minimum de préparation. Les aliments amylacés contiennent une quantité raisonnable de protéines, des vitamines du groupe B et des minéraux tels que le phosphore, le zinc, le fer, le potassium et, dans le cas du pain, du calcium. Il sont aussi une bonne source de fibres alimentaires.

Les farines
Ayez une sélection de farines variées : en mélangeant deux types différents, vous obtiendrez souvent plus de saveur et une meilleure texture. Utilisez une moitié de farine complète et une moitié de farine blanche pour obtenir une croûte ou un pain d'un brun plus clair, mélangez de la farine de sarrasin avec de la farine blanche pour les crêpes, etc. La farine est une bonne source de protéines et d'hydrates de carbone amylacés, et elle est un ingrédient indispensable dans la cuisine. Si vous n'en utilisez pas souvent, achetez-la en petite quantité et conservez-la dans une boîte hermétique. Les farines brunes ou complètes ainsi que la farine de sarrasin ont une durée de conservation plus courte que les farines blanches plus raffinées. Rappelez-vous aussi que les farines contenant déjà un agent de levage perdent leur capacité à alléger la préparation en six mois environ.

Le riz
La gamme de choix est de plus en plus large et attrayante. Évitez si possible les riz à cuisson rapide, car ils sont difficiles à mâcher et une grande partie de leur saveur naturelle a été éliminée au traitement. Le processus d'étuvage de ces produits permet cependant à une plus grande quantité de vitamines et de minéraux, solubles dans l'eau, d'être conservés. Au sommet de l'échelle, se trouve le basmati, un riz à longs grains élégant, parfumé, qui est cultivé sur les contreforts himalayens. Traditionnellement mangé avec des currys, le basmati est merveilleux dans pratiquement tous les plats – pilafs en particulier –, desserts et friandises. Le basmati brun est un riz complet léger, qui contient plus de fibres alimentaires. Les riz thaïs sont délicats et légèrement collants, particulièrement indiqués pour les plats sautés à feu vif, et magnifiques dans les puddings au lait. Le riz sauvage (qui n'est pas vraiment un riz, mais une herbe aquatique), contient de bonnes quantités de protéines. Un trempage préalable réduit le temps de cuisson.

Les pâtes
Valeur sûre de plus d'un cuisinier pressé, elles sont une bonne source d'hydrates de carbone amylacés. On les trouve sous une multitude de formes, de couleurs et même aujourd'hui de parfums. Les bonnes pâtes doivent devenir tendres à la cuisson, tout en conservant un peu de fermeté, ce que les Italiens appellent al dente. Pour cela, choisissez des pâtes fabriquées avec du blé ou de la semoule de blé.

Faites-les cuire dans une grande quantité d'eau salée conformément aux instructions figurant sur le paquet, égouttez, rincez à l'eau froide et remuez un peu – les Italiens ne les égouttent pas complètement et servent légèrement humides. Remettez-les dans la casserole avec de l'huile d'olive, assaisonnez-les et ajoutez un soupçon de muscade fraîchement râpée. Les pâtes au blé complet ont une saveur de noisette et une consistance qui les rend plus difficiles à mâcher. Elles sont particulièrement savoureuses dans des sauces crémeuses, notamment au fromage. Choisissez des formes de pâtes qui correspondent à la sauce. Les pâtes longues et fines comme les linguines et les spaghettis s'accommodent mieux avec des sauces légères ; les coquilles et les tubes s'harmonisent bien avec des sauces crémeuses et riches.

Les pommes de terre
Comme le riz, les pommes de terre bénéficient aujourd'hui d'une renaissance culinaire, car de plus en plus de cuisiniers réalisent combien il est important de choisir la variété qui s'accorde le mieux avec un plat. Par ailleurs, de plus en plus de pommes de terre sont cultivées pour leur saveur particulière ; elles sont délicieuses simplement cuites à la vapeur et servies dans leur peau, légèrement agrémentées d'un peu d'huile d'olive ou de beurre. Choisissez de petites pommes de terre fermes pour les salades, des pommes de terre plus grosses mais toujours fermes pour rôtir, et des variétés plus farineuses pour la purée. De plus en plus de producteurs indiquent les utilisations conseillées sur les sacs ; lisez donc l'étiquette.

Les légumes secs
Plus de la moitié de la source de protéines dans l'alimentation mondiale provient des légumes secs. D'un côté, bien que riches en protéines, ceux-ci ne contiennent pas tous les acides aminés nécessaires à l'organisme – en particulier la méthionine. D'un autre côté, les céréales ne contiennent pas de lysine ni de tryptophane, que l'on trouve dans les légumes secs. En associant les deux, vous reconstituerez le cercle des protéines de l'alimentation « classique ». Ainsi, quand vous mangez des légumes secs, essayez de mettre des produits amylacés dans le même repas – des lentilles avec du riz, du houmous avec du pain, des haricots avec des pâtes, etc. En plus, rajoutez de la vitamine C fraîche dans le repas (fruits ou légumes à feuilles), pour que votre organisme puisse assimiler le fer contenu dans les céréales et les légumes secs. ' La diversité des légumes secs est impressionnante. Il est souhaitable de les faire tremper, de préférence toute la nuit. Les légumes plus anciens tremperont plus longtemps. Pour réduire la durée du trempage, couvrez les fèves d'eau

bouillante et laissez reposer deux heures. Égouttez et faites bouillir dans une nouvelle eau à feu vif pendant les dix premières minutes pour détruire toutes les toxines, puis réduisez le feu et laissez frémir. N'ajoutez ni sel ni jus de citron pendant la cuisson, cela durcirait les peaux ; en revanche, les herbes fraîches et les oignons émincés ajoutent de la saveur. Comme pour les pâtes, n'égouttez pas excessivement. Assaisonnez et faites éventuellement une sauce avec un peu d'huile d'olive vierge. Certaines lentilles peuvent être cuites sans trempage préalable. Les petites lentilles rouges, idéales en saupoudrage pour épaissir les soupes et les ragoûts, cuisent en vingt minutes seulement. Les haricots ont une texture crémeuse idéale pour les soupes. Les haricots beurre, les haricots rouges et noirs, les cannellini, les haricots blancs, les borlotti, les haricots pinto et les flageolets sont parfaits pour les pâtés et les purées. Les pois cassés et les lentilles rouges font des sauces à tremper idéales. Les pois chiches et les haricots aduki conservent bien leur texture et font une bonne base pour les burgers et les ragoûts.

Les graisses et les huiles

Pour la friture, choisissez des huiles riches en polyinsaturés. Les huiles de tournesol, de pépins de raisin et d'arachide ont la saveur la plus fine, et sont les préférées des gourmets. L'huile de maïs et les huiles végétales mélangées ont une saveur plus forte. L'huile d'olive a de plus en plus de succès, non seulement pour sa saveur mais aussi grâce à ses propriétés bénéfiques pour la santé – sa richesse en monosaturés semble contribuer à réduire les niveaux de cholestérol dans le sang. Deux qualités essentielles existent : l'huile d'olive pure, excellente pour la cuisine en général, et l'huile vierge extra, obtenue à partir de la première pression à froid des olives, qui produit une saveur parfumée, presque poivrée, idéale pour les assaisonnements des salades et excellent substitut du beurre. Les huiles aromatiques de graines et de noix (huiles de sésame, de noix et de noisette, par exemple) sont trop lourdes et trop coûteuses pour un usage courant, mais quelques gouttes sont idéales sur les légumes chauds, les légumes secs ou les pâtes. Gardez ces huiles aromatiques au réfrigérateur. Les autres se conservent bien à température ambiante. Toutes les matières grasses, à moins

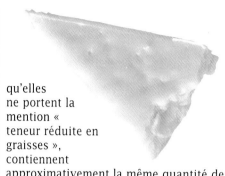

qu'elles ne portent la mention « teneur réduite en graisses », contiennent approximativement la même quantité de calories. Compte davantage pour la santé le type de graisses qu'elles contiennent. Les pâtes à tartiner à l'huile de tournesol ou d'olive sont moins riches en saturés malsains et plus riches en polyinsaturés et monosaturés sains. Les pâtes à tartiner à teneur réduite en graisses contiennent plus d'eau, ce qui aide à diminuer l'apport calorique, mais rend plus difficile leur utilisation à chaud. Les graisses et les huiles apportent des vitamines essentielles telles que la vitamine A, D et E. Ne les éliminez donc pas totalement, mais consommez-les toujours en quantités modérées. Lisez les indications nutritionnelles sur les paquets, et pensez à limiter votre prise de matières grasses à un tiers du total journalier de calories.

Le fromage

Riche en protéines, le fromage est populaire chez les végétariens. Mais cet aliment est également riche en calories : il en contient deux fois plus que la plupart des hydrates de carbone et des protéines. Pour plus de saveur, choisissez des variétés bien affinées, telles que le cheddar affiné en fruiterie ou le parmesan frais ; ainsi, vous n'aurez pas besoin d'en utiliser beaucoup.
Nombre de végétariens recherchent des fromages fabriqués avec de la présure végétarienne, et les producteurs en proposent de plus en plus.
Pour la cuisson, choisissez des fromages affinés. Vous pouvez les faire sécher en les laissant déballés dans le

réfrigérateur : cela concentre leur saveur et les fait durer plus longtemps quand on les râpe finement.
Mes fromages préférés sont le cheddar affiné, le parmesan frais, le gruyère affiné et le pecorno, un fromage de brebis italien. Le mélange de fromage frais allégé et de fromage de chèvre permet de réaliser en un instant une sauce savoureuse et crémeuse.

Les laitages

Les rayons des supermarchés contiennent une grande gamme de produits laitiers qui offrent de nombreuses possibilités au cuisinier. La crème fraîche épaisse, qui ne caille pas à la cuisson, est idéale pour les plats chauds ; vous pouvez également la fouetter pour les desserts. Utilisez-la cependant avec parcimonie car elle est assez riche en graisses (40 %).
Le fromage frais est une « crème » onctueuse, pauvre en graisses, voire pratiquement sans matières grasses ; il est idéal pour les sauces, les pommes de terre au four et les desserts. Le fromage blanc est fait avec du lait écrémé, et est donc très faible en matières grasses ; il s'utilise dans les tartes au fromage, mais aussi dans les plats salés. Les cottage cheeses sont appréciés depuis longtemps ; on les trouve maintenant en version allégée.

Les substituts des laitages

Le soja est l'une des meilleures sources de protéines végétales. Aussi est-ce une base idéale pour la préparation de laits, crèmes, pâtes à tartiner, glaces et fromages sans lait, et donc tout indiquée pour les végétaliens ou les personnes allergiques aux produits lactés. Utilisez ces produits au soja de la même façon que leurs équivalents laitiers. Au début, le goût du soja vous semblera un peu plus doux que celui du lait.
Le tofu, ou pâté de soja, est fabriqué avec du lait de soja ; il convient à de nombreuses préparations végétariennes, tant comme ingrédient principal que pour ajouter une texture crémeuse et ferme. Tout seul, le tofu a peu de goût, ce qui le rend idéal pour absorber d'autres saveurs – c'est pourquoi il est tellement utilisé dans la cuisine orientale. Le tofu ferme peut être coupé en cubes, mariné ou fumé. Il est

savoureux frit à l'huile ou grillé pour obtenir une croûte croquante et dorée. Plus mou, le tofu constitue un bon substitut de la crème et peut être mélangé à des soupes chaudes ou utilisé comme base pour des flans. À chaque fois qu'une recette indique l'utilisation de lait ou de crème, vous pouvez utiliser du tofu. Non seulement il est riche en protéines, mais c'est aussi une bonne source de vitamines du groupe B et de fer. Comme pour toute source de fer végétale, vous devrez prendre de la vitamine C dans le même repas.

La mycoprotéine (vendue sous la marque Quorn), parente lointaine du champignon, est un nouvel aliment artificiel. Pauvre en graisses et en calories, il est riche en protéines et contient autant de fibres que les légumes verts. Il se cuit rapidement, absorbe les saveurs aussi facilement que le tofu et a un goût plus affirmé. Il convient à la friture à la poêle, aux ragoûts et aux cuissons à l'étouffée.

Les noix et les graines

Noix et graines sont pleines de saveur, de texture et de couleur, mais sont riches en graisses et en protéines ; usez-en donc avec modération.

Les arachides sont les produits de ce groupe les moins chers et qui se prêtent au plus grand nombre de préparations. Achetez-les de préférence non salées ou, encore mieux, grillées et non salées. Les amandes (mondées ou effilées) sont également très utiles, tout comme les noix, les pignons, les noisettes et les noix de cajou, mais plus coûteuses. Il est souvent agréable d'en mélanger deux ou trois variétés. Les noix peuvent rancir si elles sont conservées trop longtemps (plus de six mois) ; si vous n'en utilisez pas régulièrement, achetez-les en petites quantités. Les pistaches non salées sont excellentes mélangées au riz cuit ou aux desserts (surtout les crèmes glacées maison). Pour une saveur maximale, grillez légèrement les noix avant de les

hacher ou de les écraser. Utilisez-les également pour faire un enrobage croquant, mais prenez garde de ne pas les laisser brûler.

Dans les magasins diététiques, vous trouverez une gamme de plus en plus

vaste de graines colorées. Les plus utiles sont les graines de tournesol et de sésame, mais les graines de potiron et de melon sont également idéales pour agrémenter les salades, ou simplement comme amuse-gueule. Les graines de pavot, de moutarde noire, de fenugrec et de cumin font une belle garniture et apportent un supplément de saveur. Et surtout, ces noix et ces graines sont magnifiques conservées dans des bocaux ; en les voyant, vous aurez envie d'en mettre dans tous vos plats !

Les herbes

À chaque fois que possible, essayez d'utiliser des herbes fraîches. Beaucoup d'entre elles poussent facilement en pot ou dans les petits jardins et survivent au froid de l'hiver. Essayez le romarin, le thym, le laurier et la sauge. Même la ciboulette et la marjolaine peuvent survivre jusqu'à une époque avancée de l'automne et repousser au début du printemps. Cependant, de plus en plus de magasins d'alimentation vendent des bouquets d'herbes fraîches. Les herbes les plus utiles sont le persil plat, la coriandre, l'aneth, le basilic, la ciboulette et la menthe. N'utilisez pas une seule herbe par plat. Mélangez, assortissez,

expérimentez et utilisez-les généreusement ; restez cependant prudent dans le dosage des plus parfumées, comme l'estragon ou la sauge. Jetez des poignées d'herbes en feuilles dans vos salades vertes qui seront ainsi parfumées.

Lavez les herbes, faites-en un bouquet, puis coupez-les grossièrement avec des ciseaux. Conservez les herbes à feuilles au réfrigérateur, sans les serrer, dans des sacs alimentaires en polythène. Vaporisez-leur de l'eau si elles

donnent des signes de faiblesse. Si vous utilisez des herbes sèches, achetez-les en petites quantités et conservez-les dans un placard sec et frais pour préserver leur saveur. Remplacez-les régulièrement car elles perdent leur couleur et leur parfum.

Les épices

Aromatiques, colorées et faciles à utiliser, les épices peuvent donner au plat le plus simple une allure de fête. Il est faux de croire qu'elles sont extrêmement fortes – en fait, seules le sont les variétés de la famille des piments, notamment le piment de Cayenne. Certaines épices s'utilisent à la fois dans les plats sucrés et salés, comme la muscade, la cannelle, le macis, le clou de girofle, la cardamome et le gingembre. D'autres, comme le fenugrec, le curcuma, le paprika, le cumin, les baies de coriandre et le piment, sont uniquement utilisées dans les plats salés. Les épices se prêtent à l'expérimentation. Ajoutez-les en pincées, prudemment pour commencer, jusqu'à ce que vous trouviez le dosage à votre goût.

Pour exprimer les huiles aromatiques des épices, il est souhaitable de les griller ou de les faire frire d'abord. Lorsque c'est possible, utilisez les graines des épices que vous réduirez en poudre dans un petit moulin électrique ou avec un pilon dans un mortier. Le safran doit être trempé brièvement dans un peu d'eau ou de lait tiède pour libérer sa saveur et sa couleur. Ne limitez pas l'utilisation des épices aux plats exotiques. Ajoutez-les dans vos plats habituels.

SOUPES & ENTRÉES

Parmi ces entrées, vous trouverez aussi bien des valeurs sûres traditionnelles – des soupes, par exemple, à servir avant un plat de résistance, ou seules pour un repas léger – que des plats plus originaux pour des dîners raffinés.

Bouillon de légumes

Ce bouillon, qui se prête à de multiples utilisations, est une base idéale pour la préparation des soupes et des sauces.

POUR 2,25 L (10 TASSES)
2 poireaux, en rondelles moyennes
3 branches de céleri, grossièrement émincées
1 gros oignon émincé (avec sa peau)
2 morceaux de gingembre frais, hachés
3 gousses d'ail, pelées
1 poivron jaune épépiné et coupé en morceaux
1 panais émincé
queues de champignons
pelures de tomates
3 cuillerées à soupe de sauce de soja légère
3 feuilles de laurier
1 bouquet de queues de persil
3 tiges de thym frais
1 tige de romarin frais
2 cuillerées à thé de sel
poivre noir fraîchement moulu
3,5 l (15 tasses) d'eau

1 Mettez tous les ingrédients dans une très grande casserole.

2 Portez doucement à ébullition, puis baissez le feu et laissez frémir 30 minutes, en mélangeant de temps en temps.

3 Laissez refroidir. Égouttez et jetez les légumes : le bouillon est prêt à être utilisé. Vous pouvez le congeler ou le réfrigérer jusqu'à ce que vous en ayez besoin.

CROÛTONS CROUSTILLANTS

Ces croûtons ajouteront une touche savoureuse à vos soupes.

C'est aussi une bonne manière d'utiliser le pain sec. Certains pains spéciaux, comme le pain italien ou la baguette, doivent être coupés en tranches fines pour obtenir de bons croûtons croustillants. Utilisez une huile de bonne qualité, sans parfum – huile de tournesol ou d'arachide – ou, pour plus de saveur, de l'huile d'olive ou encore une huile pimentée ou parfumée à l'ail et aux herbes.
Préchauffez le four à 200 °C (400 °F). Placez les croûtons sur une plaque, badigeonnez-les avec l'huile de votre choix, mettez-les au four 15 minutes environ, jusqu'à ce qu'ils soient dorés et croustillants – ils deviendront encore plus croustillants en refroidissant. Vous pouvez les conserver dans un récipient hermétique pendant une semaine.
Avant de les servir, vous pouvez les réchauffer au four tiède.

Velouté de maïs doux et de pommes de terre

Cette soupe américaine consistante, savoureuse et riche en fibres sera excellente servie avec du pain épais et croustillant recouvert de cheddar fondu.

POUR 4 ASSIETTES
1 oignon haché
1 gousse d'ail écrasée
1 pomme de terre moyenne en morceaux
2 branches de céleri, émincées
1 petit poivron vert épépiné, coupé en deux et émincé
2 cuillerées à soupe d'huile de tournesol
25 g (1 oz) de beurre
600 ml (2 1/2 tasses) de bouillon ou d'eau
sel et poivre noir fraîchement moulu
300 ml (1 1/4 tasse) de lait
200 g (7 oz) de haricots blancs en boîte
300 g (11 oz) de maïs doux en boîte
1 bonne pincée de sauge sèche

1 Mettez l'oignon, l'ail, la pomme de terre, le céleri et le poivron dans une grande casserole avec l'huile et le beurre.

2 Faites grésiller les ingrédients, puis réduisez le feu. Couvrez et faites suer doucement pendant 10 minutes, en remuant la casserole de temps en temps.

3 Versez le bouillon ou l'eau, assaisonnez à votre goût et portez à ébullition. Réduisez le feu, couvrez et laissez frémir environ 15 minutes.

4 Ajoutez le lait, les haricots et le maïs, avec leur jus, et la sauge. Laissez encore frémir 5 minutes. Rectifiez l'assaisonnement et servez chaud.

Soupe rouge 🥬

Riche en saveurs et en couleurs,
cette soupe est vite préparée.
Supprimez le cheddar pour obtenir
une soupe végétalienne.

POUR 4 À 6 PERSONNES
1 poivron rouge épépiné et émincé
1 oignon émincé
1 gousse d'ail écrasée
2 cuillerées à soupe d'huile d'olive
400 g (14 oz) de tomates concassées en
  boîte
1 litre (4 tasses) de bouillon
2 cuillerées à soupe de riz long
2 cuillerées à soupe de sauce
  Worcestershire
200 g (7 oz) de haricots rouges en boîte
1 cuillerée à thé d'origan sec
1 cuillerée à thé de sucre
sel et poivre noir fraîchement moulu
persil frais et cheddar râpé pour garnir

1 Mettez le poivron, l'oignon, l'ail et
l'huile dans une grande casserole. Faites
chauffer jusqu'à grésillement, puis
baissez le feu. Couvrez et laissez cuire
doucement 5 minutes.

2 Ajoutez le reste des ingrédients, à
l'exception des garnitures, et portez à
ébullition. Mélangez bien, puis laissez
frémir à couvert 15 minutes. Rectifiez
l'assaisonnement, ajoutez les garnitures
et servez chaud.

Soupe chinoise au tofu et à la laitue 🥬

Ce consommé léger et clair est
enrichi d'ingrédients savoureux et
nourrissants. Préparez-le de
préférence avec un bouillon fait
maison.

POUR 4 PERSONNES
2 cuillerées à soupe d'huile d'arachide ou
  de tournesol
200 g (7 oz) de tofu en cubes fumé ou
  mariné
3 oignons nouveaux coupées en biseau
2 gousses d'ail émincées
1 carotte en fines rondelles
1 l (41 tasses) de bouillon
2 cuillerées à soupe de sauce de soja
1 cuillerée à soupe de sherry sec ou de
  vermouth
1 cuillerée à thé de sucre
115 g (4 oz) de laitue (romaine) en
  chiffonnade
sel et poivre noir fraîchement moulu

1 Faites frire les cubes de tofu avec de
l'huile dans un wok. Égouttez-les et
réservez-les sur du papier absorbant.

2 Dans la même huile, faites frire les
oignons nouveaux, l'ail, la carotte et la
laitue pendant 2 minutes. Versez le
bouillon, la sauce de soja, le sherry ou le
vermouth et le sucre.

Velouté de chou-fleur épicé à l'indienne

Légère et savoureuse, cette soupe crémeuse et finement épicée fera une excellente entrée chaude, un repas rapide ou, servie froide, s'intégrera merveilleusement à un menu d'été.

POUR 4 À 6 PERSONNES
1 pomme de terre pelée et coupée en dés
1 petit chou-fleur en morceaux
1 oignon émincé
1 cuillerée à soupe d'huile de tournesol
3 cuillerées à soupe d'eau
1 gousse d'ail écrasée
1 cuillerée à soupe de gingembre frais râpé
2 cuillerées à thé de curcuma moulu
1 cuillerée à thé de graines de cumin
1 cuillerée à thé de graines de moutarde noire
2 cuillerées à thé de coriandre moulue
1 l (4 tasses) de bouillon de légumes
300 ml (1 1/4 tasse) de yaourt naturel
sel et poivre noir fraîchement moulu
coriandre fraîche ou persil pour garnir

1 Mettez la pomme de terre, le chou-fleur et l'oignon dans une grande casserole avec l'huile et l'eau. Faites chauffer jusqu'à ébullition, puis couvrez et baissez le feu. Continuez à cuire le mélange 10 minutes environ.

2 Ajoutez l'ail, le gingembre et les épices. Mélangez bien et laissez cuire 2 minutes, en remuant de temps en temps. Versez le bouillon et assaisonnez bien. Portez à ébullition, puis couvrez et laissez frémir 20 minutes. Ajoutez-y le yaourt, assaisonnez bien et garnissez avec la coriandre ou le persil.

Potage d'hiver

Avec une sélection de tubercules d'hiver, vous obtiendrez cette soupe qui réchauffe le corps et l'esprit ! La crème fraîche, ajoutée juste avant de servir, lui donne sa saveur crémeuse.

POUR 6 PERSONNES
3 carottes moyenne, en julienne
1 grosse pomme de terre en julienne
1 gros panais en julienne
1 gros navet ou 1 petit rutabaga en julienne
1 oignon haché
2 cuillerées à soupe d'huile de tournesol
25 g (1 oz) de beurre
1,5 l (6 tasses) d'eau
sel et poivre fraîchement moulu
1 morceau de gingembre frais pelé et râpé
300 ml (1 1/4 tasse) de lait
3 cuillerées à soupe de crème fraîche, de fromage frais ou de yaourt nature
2 cuillerées à soupe d'aneth frais haché
jus de citron

1 Mettez les carottes, la pomme de terre, le panais, le navet ou le rutabaga et l'oignon dans une casserole avec l'huile et le beurre. Faites sauter, puis couvrez et laissez suer les légumes 15 minutes sur feu très doux, en remuant la casserole de temps en temps.

2 Versez l'eau, portez à ébullition et assaisonnez bien. Couvrez et laissez frémir 20 minutes jusqu'à ce que les légumes soient tendres.

3 Égouttez les légumes, en réservant le bouillon, ajoutez le gingembre et réduisez en purée.

4 Remettez la purée et le bouillon dans la casserole. Ajoutez le lait et mélangez en chauffant doucement.

5 Retirez du feu, incorporez la crème fraîche, le fromage frais ou le yaourt, l'aneth et le jus de citron, et rectifiez l'assaisonnement. Réchauffez la soupe si vous le souhaitez, mais sans la laisser bouillir pour éviter qu'elle ne caille.

Consommé à la fleur d'œuf

Pour obtenir la meilleure saveur possible, utilisez un bouillon fait maison. Les œufs forment de jolies barbilles qui donnent au consommé un air fleuri – d'où son nom.

POUR 6 PERSONNES
1 l (4 tasses) de bouillon
3 cuillerées à soupe de sauce de soja claire
2 cuillerées à soupe de sherry sec ou de vermouth
3 oignons nouveaux coupés en biseau
1 petit morceau de gingembre frais râpé
4 grandes feuilles de laitue en chiffonnade
1 cuillerée à thé d'huile de sésame
2 œufs battus
sel et poivre fraîchement moulu
graines de sésame pour garnir

1 Versez le bouillon dans une grande casserole. Ajoutez tous les ingrédients à l'exception des œufs et des graines. Portez à ébullition, puis laissez cuire 2 minutes environ.

2 Très soigneusement, versez les œufs en filet fin et régulier dans le liquide bouillant.

3 Comptez jusqu'à trois, puis remuez rapidement la soupe. L'œuf commencera à cuire et à former de longs filaments. Assaisonnez, versez la soupe dans des bols chauds et servez-la immédiatement, saupoudrée de graines de sésame.

Soupe au brocoli et au bleu de Brie

Légume populaire, le brocoli donne une soupe délicieuse d'une couleur vert profond. Pour plus de saveur, ajoutez des cubes de bleu de Brie juste avant de servir.

POUR 6 PERSONNES
1 oignon haché
450 g (1 lb) de bouquets de brocoli
1 grosse courgette en julienne
1 grosse carotte en julienne
1 pomme de terre moyenne en julienne
25 g (1 oz) de beurre
2 cuillerées à soupe d'huile de tournesol
2 l (8 tasses) de bouillon ou d'eau
75 g (3 oz) environ de bleu de Brie (ou de dolcellate) en cubes
sel et poivre noir fraîchement moulu
amandes effilées pour garnir (facultatif)

1 Mettez tous les légumes dans une grande casserole, avec le beurre et l'huile, plus 3 cuillerées à soupe de bouillon ou d'eau.

2 Faites chauffer jusqu'à grésillement et remuez bien. Couvrez et laissez cuire doucement 15 minutes, en remuant la casserole de temps en temps, jusqu'à ce que les légumes deviennent tendres.

3 Ajoutez le reste de bouillon ou d'eau, assaisonnez et portez à ébullition, puis couvrez et laissez frémir doucement 25 à 30 minutes environ.

4 Égouttez les légumes et réservez le liquide. Réduisez les légumes en purée, puis remettez-les dans la casserole avec le liquide que vous avez réservé.

5 Portez la soupe à ébullition, incorporez le fromage, laissez-le fondre (ne laissez pas la soupe bouillir trop fort, sinon le fromage deviendra filant). Assaisonnez à votre goût et garnissez en éparpillant quelques amandes effilées à la surface.

VARIANTE

Deux excellentes possibilités : vous pouvez remplacer le brocoli par du chou-fleur et le bleu de Brie par du stilton.

Velouté de champignons

Le velouté de champignons maison est incomparablement supérieur à celui acheté en boîte ou en sachet. Quelques champignons parfumés chinois donneront à votre soupe une saveur plus riche.

POUR 4 À 6 PERSONNES
450 g (1 lb) de champignons de Paris émincés
115 g (4 oz) de champignons parfumés chinois émincés
3 cuillerées à soupe d'huile de tournesol
1 oignon haché
1 branche de céleri émincée
1,2 litres (5 tasses) de bouillon ou d'eau
2 cuillerées à soupe de sauce de soja
50 g (2 oz) de riz long
sel et poivre noir fraîchement moulu
300 ml (1 1/4 tasse) de lait
persil frais haché et amandes effilées

1 Mettez les champignons dans une casserole avec l'huile, l'oignon et le céleri. Faites chauffer jusqu'à grésillement, couvrez et laissez mijoter 10 minutes, en remuant de temps en temps.

2 Ajoutez le bouillon ou l'eau, la sauce de soja, le riz et l'assaisonnement. Portez à ébullition, puis couvrez et laissez frémir 20 minutes jusqu'à ce que les légumes et le riz soient tendres.

3 Égouttez les légumes en réservant le bouillon, et réduisez-les en purée lisse dans un mixer. Remettez les légumes et le bouillon dans la casserole.

4 Incorporez le lait, réchauffez jusqu'à ébullition et rectifiez l'assaisonnement. Servez chaud, saupoudré d'un peu de persil haché et de quelques amandes effilées.

Minestrone traditionnel

Cette célèbre soupe italienne a été très imitée dans le monde entier, avec des résultats plus ou moins heureux. Cette version est une réussite ; elle constitue un plat complet avec ses pâtes, ses haricots et ses légumes frais.

POUR 4 PERSONNES
1 gros poireau en rondelles fines
2 carottes, en julienne
1 courgette en rondelles fines
115 g (4 oz) de haricots verts coupés en deux
2 branches de céleri, en rondelles fines
3 cuillerées à soupe d'huile d'olive
1,5 l (6 1/4 tasses) de bouillon ou d'eau
400 g (14 oz) de tomates concassées en boîte
1 cuillerée à soupe de basilic frais haché
1 cuillerée à thé de thym frais haché ou 1/2 cuillerée à thé de thym sec
sel et poivre noir fraîchement moulu
400 g (14 oz) de cannellonis ou de haricots blancs en boîte
50 g (2 oz) de petites pâtes ou de macaronis
parmesan frais finement râpé (facultatif) et persil frais haché pour garnir

1 Mettez tous les légumes frais dans une grande casserole avec l'huile. Faites chauffer jusqu'à grésillement, puis couvrez, réduisez le feu et laissez suer les légumes 15 minutes, en remuant la casserole de temps en temps.

2 Ajoutez le bouillon ou l'eau, les tomates, les herbes et l'assaisonnement. Portez à ébullition, couvrez et laissez frémir doucement 30 minutes environ.

3 Ajoutez les haricots et leur jus ainsi que les pâtes, et laissez frémir 10 minutes encore. Servez chaud saupoudré de parmesan et de persil.

LE CONSEIL DU CHEF

Le minestrone est également délicieux servi froid par une chaude journée d'été. Sa saveur s'exprime mieux si vous le préparez un ou deux jours à l'avance et le conservez au réfrigérateur. Vous pouvez aussi le congeler et le réchauffer.

Bortsch

Avec sa couleur étonnante, cette soupe russe traditionnelle est idéale si vous souhaitez présenter un plat un peu original. Préparé la veille, sa saveur en sera d'autant plus grande.

POUR 6 PERSONNES
1 oignon haché
450 g (1 lb) de betterave crue pelée et coupée en julienne
1 grosse pomme à cuire en julienne
2 branches de céleri, en julienne
1/2 poivron rouge en julienne
115 g (4 oz) de champignons en julienne
25 g (1 oz) de beurre
2 cuillerées à soupe d'huile de tournesol
2 l (8 tasses) de bouillon ou d'eau
1 cuillerée à thé de graines de cumin
1 pincée de thym sec
1 grosse feuille de laurier
jus de 1 citron
sel et poivre noir fraîchement moulu
150 ml (2/3 tasse) de crème aigre
quelques feuilles d'aneth frais pour garnir

1 Mettez tous les légumes dans une grande casserole avec le beurre, l'huile et 3 cuillerées à soupe de bouillon ou d'eau. Couvrez et faites chauffer 15 minutes, en remuant de temps en temps.

2 Incorporez les graines de cumin et faites chauffer 1 minute, puis ajoutez le restant de bouillon ou d'eau, le thym, la feuille de laurier, le jus de citron et l'assaisonnement.

3 Portez à ébullition, puis couvrez et ramenez à un léger frémissement. Laissez cuire 30 minutes environ.

4 Égouttez les légumes et réservez le liquide. Passez les légumes dans un moulin à légumes ou un mixer jusqu'à ce qu'ils soient crémeux.

5 Remettez les légumes dans la casserole, incorporez le bouillon réservé et réchauffez. Rectifiez l'assaisonnement.

6 Servez le bortsch avec un nuage de crème aigre et quelques feuilles d'aneth frais.

VARIANTE

Cette soupe peut être servie assez épaisse, à condition que les légumes soient finement hachés lors de la préparation.
La betterave, pourtant très utilisée dans certains pays européens, est un légume souvent sous-estimé. Elle est délicieuse servie chaude en légume d'accompagnement, avec une sauce béchamel crémeuse et de la chapelure croustillante. Vous pouvez aussi la préparer crue, râpée grossièrement, avec une vinaigrette.

Champignons aillés

Servez ces champignons sur des toasts, pour une entrée rapide, ou moulés dans des ramequins, accompagnés de tranches de pain croustillant et tiède. Ajoutez quelques champignons shiitake pour enrichir la saveur.

POUR 4 PERSONNES
450 g (1 lb) de petits champignons de couche
3 cuillerées à soupe d'huile d'olive
3 cuillerées à soupe de bouillon ou d'eau
2 cuillerées à soupe de sherry sec (facultatif)
3 gousses d'ail écrasées
115 g (4 oz) de fromage frais allégé
2 cuillerées à soupe de persil frais haché
1 cuillerée à soupe de ciboulette fraîche ciselée
sel et poivre noir fraîchement moulu

1 Mettez les champignons dans une grande casserole avec l'huile d'olive, le bouillon ou l'eau et éventuellement le sherry. Faites chauffer jusqu'à ébullition, puis couvrez et laissez frémir 5 minutes.

2 Ajoutez l'ail et mélangez bien. Laissez cuire 2 minutes encore. Retirez les champignons avec une écumoire et réservez-les. Réduisez le jus jusqu'à obtenir 2 cuillerées à soupe. Retirez du feu et incorporez le fromage et les herbes.

3 Mélangez bien l'ensemble jusqu'à ce que le fromage fonde, puis remettez les champignons dans la casserole pour les napper de cette sauce. Assaisonnez à votre goût.

4 Mettez les champignons sur des tranches épaisses de pain grillé chaud. Vous pouvez également les disposer dans quatre ramequins et les servir accompagnés de tranches de pain croustillant.

Pâté de haricots borlotti et de ricotta

Vous pouvez présenter cette recette légère et savoureuse sous forme de petits pâtés décorés avec quelques haricots borlotti assaisonnés de jus de citron, d'huile d'olive et d'herbes fraîches.

POUR 4 PERSONNES
400 g (14 oz) de haricots borlotti en boîte égouttés
1 gousse d'ail écrasée
175 g (6 oz) de ricotta ou d'un autre fromage crémeux
4 cuillerées à soupe de beurre fondu
jus de 1/2 citron
sel et poivre noir fraîchement moulu
2 cuillerées à soupe de persil frais haché
1 cuillerée à soupe de thym ou d'aneth frais haché
POUR SERVIR
quelques haricots borlotti (facultatif)
jus de citron, huile d'olive et herbes fraîches hachées (facultatif)
feuilles de salade, rondelles de radis et quelques feuilles d'aneth frais

1 Réduisez en purée lisse les haricots, l'ail, le fromage, le beurre, le jus de citron et l'assaisonnement dans un mixer.

2 Ajoutez les herbes hachées et continuez à mixer. Moulez à la cuillère dans un plat de service ou dans quatre ramequins légèrement huilés, dont vous aurez tapissé le fond avec du papier sulfurisé. Mettez au réfrigérateur.

3 Si vous ajoutez quelques haricots en présentation, assaisonnez-les de jus de citron, d'huile d'olive et d'herbes, et disposez-les à la cuillère sur le dessus des pâtés démoulés. Garnissez de feuilles de salade et servez avec du pain croustillant chaud ou des toasts.

4 Si vous préférez servir le pâté seul, démoulez-le simplement sur une petite assiette et enlevez le papier. Disposez dessus des rondelles de radis et des feuilles d'aneth.

VARIANTE

Vous pouvez essayer de réaliser cette recette avec d'autres légumes secs en boîte, excepté les lentilles qui sont trop molles. Les haricots lima sont parfaits. Pour une présentation plus colorée, disposez au centre des haricots rouges et des haricots verts frais hachés.

Légumes méditerranéens à la crème de sésame

Superbement colorée, cette entrée peut se préparer à l'avance. Pour un repas al fresco, vous pouvez griller les légumes au barbecue.

POUR 4 PERSONNES
2 poivrons rouges, verts ou jaunes, épépinés et coupés en quatre
2 courgettes, coupées en deux dans le sens de la longueur
2 petites aubergines, coupées en deux dans le sens de la longueur (les faire dégorger préalablement)
1 bulbe de fenouil, coupé en quatre
huile d'olive
sel et poivre noir fraîchement moulu
15 g (4 oz) de fromage grec halloumi coupé en tranches
POUR LA CRÈME DE SÉSAME
225 g (8 oz) de pâte de sésame
1 gousse d'ail écrasée
2 cuillerées à soupe d'huile d'olive
2 cuillerées à soupe de jus de citron frais
120 ml (1/2 tasse) d'eau

1 Préchauffez le gril ou le barbecue. Badigeonnez les légumes d'huile et grillez-les jusqu'à ce qu'ils se colorent, en les retournant une fois – ne vous inquiétez pas si les poivrons noircissent : vous pourrez retirer la peau. Faites cuire les légumes jusqu'à ce qu'ils deviennent un peu tendres.

2 Placez les légumes dans un plat peu profond et assaisonnez-les. Laissez refroidir. Badigeonnez les tranches de fromage avec de l'huile et grillez-les sur les deux côtés.

3 Pour la crème de sésame, placez tous les ingrédients, excepté l'eau, dans un mixer. Mixez quelques secondes, puis, en laissant tourner le moteur, versez l'eau et mixez jusqu'à obtenir une pâte lisse.

4 Servez les légumes et le fromage sur une belle assiette et versez dessus la crème. Ce plat est délicieux accompagné de pain pita ou de naans chauds.

Imam bayildi

La légende raconte qu'un imam – un saint homme musulman – fut tellement subjugué par ce plat qu'il se pâma d'aise ! *Imam bayildi* signifie d'ailleurs « l'imam s'est évanoui ».

POUR 4 PERSONNES
2 aubergines moyennes, coupées en deux dans le sens de la longueur
4 cuillerées à soupe d'huile d'olive
2 gros oignons, en rondelles fines
2 gousses d'ail écrasées
1 poivron vert épépiné et émincé
400 g (14 oz) de tomates concassées en boîte
30 g (1 1/2 oz) de sucre
1 cuillerée à thé de coriandre moulue
sel et poivre noir fraîchement moulu
2 cuillerées à soupe de coriandre ou de persil frais hachés

1 Avec un couteau bien aiguisé, donnez quelques coups dans la chair des aubergines. Saupoudrez-les de sel et mettez-les dans une passoire 30 minutes environ. Rincez bien et épongez. (Voir Le conseil du chef).

2 Faites frire les aubergines, chair dessous, pendant 5 minutes. Égouttez-les et placez-les dans un plat allant au four.

3 Dans la même poêle, faites revenir les oignons, l'ail et le poivron, en rajoutant de l'huile si nécessaire. Laissez cuire 10 minutes environ, jusqu'à ce que les légumes soient attendris.

4 Ajoutez les tomates, le sucre, la coriandre moulue et l'assaisonnement, et faites cuire environ 5 minutes jusqu'à ce que le mélange ait réduit. Incorporez la coriandre ou le persil hachés.

5 Avec une cuillère, disposez ce mélange sur les aubergines. Préchauffez le four à 190 °C (375 °F), couvrez et mettez au four 30 à 35 minutes. Laissez refroidir, puis mettez au réfrigérateur. Servez froid avec du pain croustillant.

LE CONSEIL DU CHEF

Pour faire dégorger les aubergines, découpez-les en tranches, saupoudrez-les avec du sel et laissez égoutter les sucs dans une passoire. Après 30 minutes environ, rincez bien et épongez. Les aubergines qui ont dégorgé sont moins amères.

Soufflés de fromage de chèvre

Le secret de la réussite de ces petits soufflés consiste à les réchauffer au four hors de leurs ramequins avant de les servir : ils gonflent à nouveau et l'extérieur devient plus doré et croustillant. Si vous préférez, vous pouvez choisir un autre fromage parfumé comme le cheddar ou le parmesan.

POUR 6 PERSONNES
25 g (1 oz) de beurre
25 g (1 oz) de farine
300 ml (1 1/4 tasse) de lait chaud
1 pincée de poivre de Cayenne
un peu de jus de citron
sel et poivre noir fraîchement moulu
100 g (3 1/2 oz) de fromage de chèvre mi-sec émietté
4 œufs (2 jaunes et 4 blancs)
beurre fondu pour badigeonner
3 cuillerées à soupe de chapelure sèche
3 cuillerées à soupe de noix ou de noisettes hachées
salade pour garnir (facultatif)

1 Faites fondre le beurre et incorporez la farine. Faites cuire 1 minute pour obtenir un roux, puis incorporez progressivement le lait chaud pour obtenir une sauce blanche épaisse.

VARIANTE

L'ajout de un ou deux blancs d'œufs supplémentaires quand vous les fouettez facilite le travail. Vous pouvez faire ces soufflés à l'avance et les réfrigérer ou les congeler non cuits dans de petits ramequins. Pour les cuire, ne les décongelez pas, mais comptez de cinq à dix minutes en plus.

2 Laissez frémir 1 minute, puis assaisonnez de poivre de Cayenne, de jus de citron, de sel et de poivre noir. Retirez du feu et incorporez le fromage jusqu'à ce qu'il fonde. Laissez légèrement refroidir, puis incorporez les jaunes d'œufs.

3 Badigeonnez l'intérieur de six ramequins de beurre fondu et chemisez-les d'un mélange de chapelure et de noix hachées. Tapotez pour éliminer l'excédent.

4 Préchauffez le four à 190 °C (375 °F) et préparez un bain-marie.

5 Fouettez les blancs d'œufs jusqu'à obtenir une neige souple, puis incorporez-les au mélange principal en décrivant un huit. Remplissez les ramequins avec une cuillère.

6 Placez les soufflés dans le bain-marie et laissez cuire 12 à 15 minutes jusqu'à ce qu'ils aient levé et qu'ils soient dorés. Vous pouvez bien sûr les servir sur le moment ; sinon, laissez-les refroidir, puis mettez-les au réfrigérateur.

7 Pour les servir recuits, réchauffez le four à la même température. Passez un couteau à l'intérieur de chaque ramequin et retournez les soufflés sur une plaque.

8 Faites cuire les soufflés environ 12 minutes. Servez-les sur des assiettes préparées avec une garniture de salade assaisonnée.

Salade tricolore

Vous pouvez servir cette salade comme entrée, présentée sur des assiettes individuelles, ou comme élément d'un buffet léger. Lorsqu'elles sont légèrement salées, les tomates parfument le plat en libérant leur jus.

POUR 4 À 6 PERSONNES
1 petit oignon rouge en rondelles fines
6 grosses tomates parfumées
huile d'olive vierge extra
1 petit bouquet de roquette ou de cresson grossièrement haché
sel et poivre noir fraîchement moulu
175 g (6 oz) de mozzarelle en tranches fines ou râpée
2 cuillerées à soupe de pignons (facultatif)

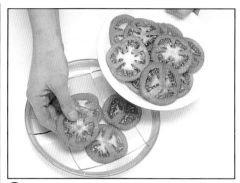

1 Faites tremper les rondelles d'oignon dans un bol d'eau froide 30 minutes, puis égouttez et épongez. Entaillez les tomates et ébouillantez-les pour les peler. Enlevez le cœur et coupez en rondelles.

2 Disposez la moitié des tomates sur une grande assiette ou divisez-les en petites assiettes.

3 Arrosez d'huile d'olive, puis faites une couche de roquette ou de cresson haché, de rondelles d'oignon. Assaisonnez. Ajoutez le fromage, arrosez d'huile et assaisonnez.

4 Recommencez avec les ingrédients restants.

5 Assaisonnez bien pour finir et complétez avec de l'huile et quelques pignons. Couvrez la salade et mettez-la au frais au moins 2 heures avant de la servir.

Guacamole dans des feuilles rouges

Présentée dans des feuilles de radicchio, cette entrée estivale, agréable et légère est vraiment séduisante ! Servez avec des morceaux de pain aillé chaud.

POUR 4 PERSONNES
2 tomates pelées et hachées
1 cuillerée à soupe d'oignon râpé
1 gousse d'ail écrasée
1 poivron vert coupé en deux, épépiné et haché
2 avocats bien mûrs
2 cuillerées à soupe d'huile d'olive
1/2 cuillerée à thé de cumin moulu
2 cuillerées à soupe de coriandre ou de persil frais hachés
jus de 1 citron
sel et poivre noir fraîchement moulu
feuilles de laitue radicchio

1 Avec un couteau aiguisé, faites une petite croix au sommet des tomates, puis ébouillantez-les – les peaux se détacheront facilement. Enlevez le cœur et hachez la chair.

2 Mettez la chair des tomates dans un bol avec l'oignon, l'ail et le poivron haché. Coupez les avocats en deux, dénoyautez et écrasez la chair dans le bol à la fourchette.

3 Ajoutez les ingrédients restants, sauf les feuilles de radicchio, et mélangez bien l'ensemble ; assaisonnez à votre goût.

4 Disposez les feuilles de radicchio sur un plat et, à la cuillère, déposez dedans le guacamole. Servez immédiatement car les avocats noircissent vite.

LE CONSEIL DU CHEF

Faites attention à ne pas vous frotter les yeux en découpant les poivrons car leur jus peut piquer.

Artichauts farcis

Les artichauts sont un peu délicats à préparer, mais leur saveur mérite qu'on se donne ce mal – surtout si vous les farcissez de noix, de champignons et de tomates séchées. Ce plat peut être préparé à l'avance et réchauffé avant de servir.

POUR 4 PERSONNES
4 artichauts moyens
sel
rondelles de citron
POUR LA FARCE
1 oignon moyen haché
1 gousse d'ail écrasée
3 cuillerées à soupe d'huile d'olive
115 g (4 oz) de champignons émincés
1 carotte moyenne râpée
40 g (1 1/2 oz) de tomates séchées à l'huile égouttées et émincées
1 pincée de thym
3 à 4 cuillerées à soupe d'eau
sel et poivre noir fraîchement moulu
115 g (4 oz) de chapelure fraîche
huile d'olive pour la cuisson
persil frais haché pour garnir

1 Faites bouillir les artichauts dans une grande quantité d'eau salée avec quelques tranches de citron pendant 30 minutes environ – jusqu'à ce qu'il soit facile de détacher une feuille de la base. Égouttez-les dans une passoire et laissez-les refroidir la tête en bas.

2 Pour la garniture, faites doucement revenir l'oignon et l'ail dans l'huile pendant 5 minutes, puis ajoutez les champignons, la carotte, les tomates et le thym.

3 Incorporez l'eau, assaisonnez bien et faites cuire encore 5 minutes, puis ajoutez la chapelure.

VARIANTE

Pour un repas plus léger, au lieu de farcir les artichauts, vous pouvez simplement remplir leur centre de mayonnaise ou les servir avec un petit bol de vinaigrette ou de beurre fondu pour y tremper les feuilles.

4 Écartez les feuilles des artichauts et retirez les feuilles centrales de couleur pourpre. Avec une petite cuillère, raclez le foin très soigneusement.

5 Déposez la farce au centre de l'artichaut avec une cuillère et remettez les feuilles en forme. Déposez les artichauts dans un plat allant au four et versez un peu d'huile au centre de chacun.

6 Trente minutes avant de servir, préchauffez le four à 190 °C (375 °F). Faites cuire les artichauts de 20 à 25 minutes jusqu'à ce qu'ils soient parfaitement chauds. Servez-les après avoir déposé un peu de persil frais haché sur le dessus.

Bruschetta avec fromage de chèvre et tapenade

Simple à préparer à l'avance, ce plat appétissant peut être servi en entrée ou en buffet. Hachez bien finement les ingrédients de la tapenade.

POUR 4 À 6 PERSONNES
POUR LA TAPENADE
400 g (14 oz) d'olives noires dénoyautées en boîte, finement hachées
50 g (2 oz) de tomates séchées à l'huile hachées
2 cuillerées à soupe de câpres hachées
1 cuillerée à soupe de grains de poivre vert en saumure écrasés
3 à 4 cuillerées à soupe d'huile d'olive
2 gousses d'ail écrasées
3 cuillerées à soupe de basilic frais haché ou 1 cuillerée à thé de basilic sec
sel et poivre noir fraîchement moulu
POUR LA BRUSCHETTA
12 tranches de pain ciabatta ou d'un autre pain croustillant
huile d'olive pour badigeonner
2 gousses d'ail coupées en deux
115 g (4 oz) de fromage de chèvre frais (ou de fromage crémeux)
herbes fraîches pour garnir

1 Mélangez les ingrédients de la tapenade et rectifiez, modérément, l'assaisonnement si nécessaire. Laissez mariner toute la nuit si possible.

2 Pour la bruschetta, grillez légèrement le pain sur les deux faces. Badigeonnez un côté avec l'huile, puis frottez avec une demi-gousse d'ail. Réservez jusqu'au moment de servir.

3 Tartinez la bruschetta de fromage, en lui donnant une surface irrégulière avec une fourchette, puis disposez la tapenade dessus à la cuillère. Garnissez d'herbes fraîches.

LE CONSEIL DU CHEF

La bruschetta est particulièrement savoureuse grillée sur un barbecue. Si vous n'en avez pas, le gril du four fera l'affaire, mais évitez d'utiliser un grille-pain – il donne une couleur trop régulière pour la bruschetta qui doit avoir un aspect rustique.

Avocats tièdes avec une garniture piquante

Légèrement grillé, avec sa savoureuse garniture d'oignons rouges et de fromage, ce plat constitue une délicieuse variante du classique avocat vinaigrette

POUR 4 PERSONNES
1 petit oignon rouge en rondelles
1 gousse d'ail écrasée
1 cuillerée à soupe d'huile de tournesol
sauce Worcestershire
2 avocats bien mûrs, coupés en deux et dénoyautés
2 petites tomates en rondelles
1 cuillerée à soupe de basilic, de marjolaine ou de persil frais haché
50 g (2 oz) de lancashire ou de mozzarelle en tranches
sel et poivre noir fraîchement moulu

1 Faites revenir doucement l'oignon et l'ail dans l'huile pendant environ 5 minutes. Ajoutez quelques gouttes de sauce Worcestershire.

2 Préchauffez le gril. Placez les moitiés d'avocats sur la grille et disposez les oignons au centre avec une cuillère.

3 Répartissez les rondelles de tomates et les herbes sur les avocats et parsemez de fromage.

4 Assaisonnez bien et faites griller jusqu'à ce que le fromage fonde.

VARIANTE

Essayez les avocats coupés en julienne et mélangés à des pâtes chaudes, ou en lamelles incorporées à une préparation de lasagnes.

Légumes tempura

Ce grand classique japonais est fait de légumes frais finement émincés et enrobés d'une pâte à frire légère et croustillante, frits et servis avec un petit bol de sauce de soja parfumée. Pour un meilleur résultat, servez immédiatement afin que la pâte reste croquante.

POUR 4 À 6 PERSONNES
1 courgette moyenne coupée en bâtonnets
1 poivron rouge épépiné en quartiers
3 gros champignons coupés en quatre
1 bulbe de fenouil en quartiers (avec racine)
1/2 aubergine moyenne finement émincée
huile de friture
POUR LA SAUCE
3 cuillerées à soupe de sauce de soja
1 cuillerée à soupe de sherry
   moyennement sec
1 cuillerée à thé d'huile de sésame
quelques râpures de gingembre frais ou d'oignon nouveau
POUR LA PÂTE À FRIRE
1 œuf
115 g (4 oz) de farine
175 ml (3/4 tasse) d'eau
sel et poivre noir fraîchement moulu

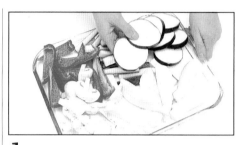

1 Préparez tous les légumes et disposez-les sur un plateau recouvert de papier absorbant pour les égoutter après cuisson.

2 Mélangez les ingrédients de la sauce en fouettant dans un bol ou en agitant un bocal fermé.

3 Remplissez à moitié une friteuse d'huile et préchauffez à 190 °C (375 °F) environ. Fouettez rapidement les ingrédients de la pâte. Quelques grumeaux n'ont pas d'importance.

4 Faites frire les légumes par étapes en les trempant successivement dans la pâte, puis en les faisant descendre dans le panier de la friteuse. Laissez frire 1 minute jusqu'à ce qu'ils soient dorés et croustillants. Égouttez sur le papier absorbant.

5 Répétez l'opération jusqu'à ce que tous les légumes soient frits. Conservez ceux qui sont déjà prêts à découvert dans un four chaud pendant que vous faites frire le reste. Servez les légumes sur un grand plat accompagnés de la sauce.

LE CONSEIL DU CHEF

Réaliser une friture peut être assez délicat et un peu dangereux. Ne laissez jamais la friteuse sans surveillance quand le feu est allumé. Si vous devez quitter la cuisine, éteignez le gaz. La température de l'huile baissera pendant la cuisson ; pensez donc à la laisser remonter entre les séries de fritures.

Blinis au maïs, sauce à l'aneth

Entrée délicieuse et originale, ces blinis conviennent également à un buffet de cocktail. Le mieux est de les préparer une ou deux heures avant de les servir, bien que la pâte supporte une attente plus longue.

POUR 6 À 8 PERSONNES
75 g (3 oz) de farine ordinaire
75 g (3 oz) de farine complète
250 ml (1 tasse) de babeurre
4 petits œufs battus
1/2 cuillerée à thé de sel
1/2 cuillerée à thé de poudre levante
2 cuillerées à soupe de beurre fondu
1 bonne pincée de bicarbonate de soude
1 cuillerée à soupe d'eau chaude
200 g (7 oz) de maïs doux en boîte
   égoutté
huile pour la cuisson
POUR LA CRÈME À L'ANETH
200 g (7 oz) de crème fraîche
2 cuillerées à soupe d'aneth frais haché
2 cuillerées à soupe de ciboulette hachée
sel et poivre noir fraîchement moulu

1 Mélangez les deux farines et le babeurre jusqu'à obtenir une pâte lisse. Couvrez et laissez au réfrigérateur 8 heures environ.

2 Incorporez les œufs, le sel, la poudre levante et le beurre. Mélangez le bicarbonate à l'eau chaude et ajoutez-le au mélange précédent, avec le maïs.

3 Faites chauffer une poêle en fonte. Badigeonnez avec un peu d'huile et déposez des cuillerées de mélange à blinis dessus. Le mélange doit commencer à grésiller immédiatement.

4 Laissez cuire jusqu'à ce que des trous apparaissent sur le dessus et que le mélange semble presque pris. Retournez les blinis et laissez cuire brièvement. Empilez les blinis sous un torchon au fur et à mesure.

5 Pour faire la crème, mélangez simplement la crème fraîche aux herbes et assaisonnez. Servez les blinis avec quelques cuillerées de crème et garnissez de rondelles de radis et d'herbes fraîches.

DÉJEUNERS & DINERS LÉGERS

Pour réaliser des déjeuners appétissants et légers, essayez
ces délicieuses recettes à base d'ingrédients riches en protéines
comme le tofu, le fromage ou les pâtes.

Œufs pour brunch à la mexicaine

Au lieu de présenter les œufs sur des toasts, pourquoi ne pas essayer de les associer à des tortillas de maïs poêlées, avec du piment et un avocat crémeux ? Vous trouverez facilement des tortillas en boîte, aussi bien dans des supermarchés que dans des épiceries fines.

POUR 4 PERSONNES
huile de friture
8 crêpes tortilla au maïs
1 avocat
1 grosse tomate
50 g (2 oz) de beurre
8 œufs
4 piments jalapeno émincés
sel et poivre noir fraîchement moulu
1 cuillerée à soupe de feuilles de coriandre
    fraîche pour garnir

1 Faites revenir les tortillas dans l'huile quelques secondes sur chaque face. Retirez, égouttez et gardez au chaud.

2 Coupez l'avocat en deux, dénoyautez, pelez et coupez-le en tranches fines. Plongez la tomate dans de l'eau bouillante, pelez-la et hachez-la.

3 Faites fondre le beurre dans une poêle et faites cuire les œufs au plat.

4 Disposez deux tortillas sur quatre assiettes, faites glisser un œuf sur chacune et surmontez le tout de piment, d'avocat et de tomate. Assaisonnez et servez garni de coriandre.

Beignets de tomates en croûte de polenta

Si vous avez vu le film Beignets de tomates vertes, vous devriez apprécier ce plat ! Pas besoin de cultiver des tomates vertes à la maison : des tomates pas tout à fait mûres feront l'affaire !

POUR 4 PERSONNES
4 grosses tomates fermes pas tout à fait
    mûres
115 g (4 oz) de polenta ou de farine de
    maïs moyenne
1 cuillerée à thé d'origan sec
1/2 cuillerée à thé de poudre d'ail
farine pour paner
1 œuf battu avec assaisonnement
huile de friture

1 Coupez les tomates en tranches épaisses. Mélangez la polenta ou la farine de maïs avec l'origan et la poudre d'ail.

2 Mettez la farine, l'œuf et la polenta dans trois bols différents. Trempez les tranches de tomates dans la farine, puis dans l'œuf et enfin dans la polenta.

3 Remplissez une poêle peu profonde d'huile au tiers, et faites chauffer.

4 Faites frire les tomates dans l'huile, de chaque côté, jusqu'à ce que la panure soit croustillante. Enlevez et égouttez. Répétez l'opération pour toutes les tranches. Servez avec de la salade.

Carbonara de champignons au piment

Pour réhausser la saveur de cette sauce rapide à réaliser, ajoutez-y un petit paquet de champignons italiens porcini ; si vous aimez les plats relevés, incorporez un peu de piment pilé.

POUR 4 PERSONNES
15 g (1/2 oz) de champignons porcini séchés en sachet
300 ml (1 1/4 tasse) d'eau chaude
225 g (8 oz) de spaghettis
1 gousse d'ail écrasée
25 g (1 oz) de beurre
1 cuillerée à soupe d'huile d'olive
225 g (8 oz) de champignons de couche émincés
1 cuillerée à thé de piment pilé
2 œufs
300 ml (1 1/4 tasse) de crème fleurette
sel et poivre noir fraîchement moulu
parmesan frais râpé et persil haché pour servir

1 Faites tremper les champignons séchés dans l'eau chaude pendant 15 minutes. Égouttez et réservez l'eau de trempage.

2 Faites cuire les spaghettis dans de l'eau salée. Égouttez et rincez à l'eau froide.

3 Dans une grande casserole, faites légèrement sauter l'ail avec le beurre et l'huile pendant 30 secondes, puis ajoutez les champignons, y compris les porcini, et le piment pilé. Mélangez bien. Laissez cuire 2 minutes environ, en mélangeant de temps en temps.

4 Incorporez l'eau de trempage des champignons et faites réduire.

5 Battez les œufs avec la crème et assaisonnez bien. Remettez les spaghettis cuits dans la casserole et ajoutez les œufs et la crème. Réchauffez sans laisser bouillir et servez chaud, saupoudré de parmesan et de persil haché.

VARIANTE

Tout autant que les champignons, des poireaux finement émincés et sautés ou de la laitue en chiffonnade avec des petits pois conviendront pour cette recette. Si le piment pilé est trop relevé pour vous, remplacez-le par des tomates pelées et concassées avec des feuilles de basilic frais.

Tagliatelles sauce « rapido »

Avec cette sauce, vous préparerez un repas chaud et consistant en 15 minutes seulement. Si vous disposez de vraiment peu de temps, ne pelez pas les tomates.

POUR 2 PERSONNES
115 g (4 oz) de tagliatelles
3 cuillerées à soupe d'huile d'olive vierge extra
3 grosses tomates
1 gousse d'ail écrasée
4 oignons nouveaux émincés
1 poivron vert coupé en deux, épépiné et émincé
jus de 1 orange (facultatif)
2 cuillerées à soupe de persil frais haché
sel et poivre noir fraîchement moulu
fromage râpé pour garnir (facultatif)

1 Faites cuire les tagliatelles al dente. Égouttez-les et versez dessus un peu d'huile. Assaisonnez bien.

2 Pelez les tomates en les trempant brièvement dans un bol d'eau bouillante. Les peaux doivent se détacher facilement. Hachez grossièrement les tomates.

3 Faites chauffer le restant d'huile et faites sauter l'ail, les oignons et le poivron pendant 1 minute.

4 Ajoutez les tomates, le jus d'orange éventuellement et le persil. Assaisonnez bien et ajoutez les tagliatelles pour les réchauffer. Vous pouvez servir avec du fromage râpé.

LE CONSEIL DU CHEF

Vous pouvez associer à cette sauce toutes sortes de pâtes. Le mariage sera particulièrement réussi avec de gros rigatonis, des linguines, des raviolis ou des tortellinis frais.

Purée au chou et au fromage

Ce petit-déjeuner traditionnel londonien connaît aujourd'hui une nouvelle vogue. On le préparait autrefois le lundi avec les restes de pommes de terre et de chou du déjeuner du dimanche, mais il conviendra pour tout type de repas léger. Au petit-déjeuner, servez-le avec des œufs, des tomates grillées et des champignons.

POUR 4 PERSONNES
450 g (1 lb) environ de pommes de terre en purée
225 g (8 oz) environ de chou plat ou frisé cuit et émincé
1 œuf battu
115 g (4 oz) de cheddar râpé
muscade fraîche râpée
sel et poivre noir fraîchement moulu
farine pour paner
huile de friture

1 Mélangez les pommes de terre avec le chou, l'œuf, le fromage, la muscade et l'assaisonnement. Divisez et façonnez en huit petits pâtés.

2 Si possible, mettez 1 heure au réfrigérateur – le mélange cuira plus facilement. Roulez les petits pâtés dans la farine. Faites chauffer environ 1 cm (1/2 po) d'huile dans une poêle.

3 Faites soigneusement glisser les petits pâtés dans l'huile et laissez frire de chaque côté pendant 3 minutes environ, jusqu'à ce qu'ils soient dorés et croustillants. Égouttez-les sur du papier absorbant et servez-les bien chauds.

Toasts au fromage et au chutney

Vous pouvez métamorphoser de simples toasts au fromage rapidement préparés en y ajoutant quelques assaisonnements savoureux. Servez ces toasts avec une salade.

POUR 4 PERSONNES
4 tranches épaisses de pain complet
beurre ou pâte à tartiner allégée
115 g (4 oz) de cheddar râpé
1 cuillerée à thé de thym sec
poivre noir fraîchement moulu
2 cuillerées à soupe de chutney ou d'un autre condiment

1 Grillez les tranches de pain des deux côtés, puis tartinez avec très peu de beurre ou de pâte à tartiner allégée.

2 Mélangez le fromage et le thym. Poivrez.

3 Sur les quatre toasts, étalez le chutney et répartissez le fromage.

4 Remettez sous le gril et laissez cuire jusqu'à ce que les toasts brunissent et fassent des bulles. Coupez-les en deux dans le sens de la diagonale et servez.

Risotto primavera

Les vrais risottos italiens doivent être crémeux et riches en saveurs. Le mieux est de les préparer juste avant de servir. Pour obtenir un meilleur résultat, utilisez un riz arborio, qui a une bonne consistance al dente.

POUR 4 PERSONNES

1 l (4 tasses) de bouillon chaud, de préférence fait maison
1 oignon rouge haché
2 gousses d'ail écrasées
2 cuillerées à soupe d'huile d'olive
25 g (1 oz) de beurre
225 g (8 oz) de riz à risotto (non rincé)
3 cuillerées à soupe de vin blanc sec
115 g (4 oz) de pointes d'asperges ou de haricots verts, coupés en tronçons et blanchis
2 carottes coupées en rondelles et blanchies
50 g (2 oz) de petits champignons de couche
sel et poivre noir fraîchement moulu
50 g (2 oz) de parmesan ou de pecorino râpé

1 Il est important de bien suivre chaque étape pour obtenir la texture souhaitée. Tout d'abord, faites chauffer le bouillon dans une casserole jusqu'à frémissement.

2 À côté, dans une grande casserole, faites revenir l'oignon et l'ail dans l'huile et le beurre pendant 3 minutes.

3 Versez le riz et remuez bien pour que chaque grain soit imprégné de matières grasses, puis versez le vin. Laissez réduire et ajoutez 2 louches de bouillon chaud en remuant sans arrêt.

4 Attendez que le mélange cesse de bouillir, puis ajoutez encore du bouillon en remuant toujours. Répétez l'opération en remuant fréquemment pendant 20 minutes. À ce moment, le riz aura gonflé.

5 Incorporez les asperges ou les haricots, les carottes et les champignons, assaisonnez bien et laissez cuire 1 ou 2 minutes. Servez aussitôt, en saupoudrant de fromage.

VARIANTE

Si vous avez un reste de risotto, façonnez-le en boulettes que vous tremperez dans de l'œuf battu et roulerez dans de la chapelure sèche. Mettez-les 30 minutes au réfrigérateur avant de les frire dans de l'huile jusqu'à ce qu'elles soient croustillantes.

Kitchiri

Ce plat original indien a inspiré la recette de petit-déjeuner anglais traditionnel appelé kedgeree. Fait avec du riz basmati et de petites lentilles, il constituera un dîner ou un plat de brunch consistant.

POUR 4 PERSONNES
115 g (4 oz) de petites lentilles rouges ou de lentilles vertes du Puy
1 oignon haché
1 gousse d'ail écrasée
50 g (2 oz) de beurre
2 cuillerées à soupe d'huile de tournesol
225 g (8 oz) de riz basmati
2 cuillerées à thé de coriandre moulue
2 cuillerées à thé de graines de cumin
2 clous de girofle
3 gousses de cardamome
2 feuilles de laurier
1 bâton de cannelle
1 l (4 tasses) de bouillon
2 cuillerées à soupe de purée de tomates
sel et poivre noir fraîchement moulu
3 cuillerées à soupe de coriandre fraîche ou de persil hachés.

1 Couvrez les lentilles d'eau bouillante et laissez tremper 30 minutes. Égouttez et faites bouillir dans de l'eau fraîche 10 minutes. Égouttez encore et réservez.

2 Dans une grande casserole, faites revenir l'oignon et l'ail dans l'huile et le beurre pendant 5 minutes environ.

3 Ajoutez le riz, mélangez bien pour que les grains soient enrobés de matières grasses, puis incorporez les épices. Faites cuire doucement 1 minute environ.

4 Ajoutez les lentilles, le bouillon, la purée de tomates et l'assaisonnement. Portez à ébullition, couvrez et laissez frémir 20 minutes jusqu'à ce que le bouillon soit absorbé. Incorporez la coriandre ou le persil et rectifiez l'assaisonnement. Retirez la cannelle et le laurier.

Pissaladière

Cette délicieuse tarte à la saveur corsée et aux couleurs éclatantes est un classique de la cuisine niçoise. Versez au dernier moment la garniture dans le fond de tarte pour que celui-ci reste croustillant.

POUR 6 PERSONNES

POUR LA PÂTE
225 g (8 oz) de farine
115 g (4 oz) de beurre ou de margarine de tournesol
1 cuillerée à thé d'herbes de Provence
1 pincée de sel

POUR LA GARNITURE
2 gros oignons finement émincés
2 gousses d'ail écrasées
3 cuillerées à soupe d'huile d'olive
muscade fraîche râpée
400 g (14 oz) de tomates concassées en boîte
1 cuillerée à thé de sucre
1 pincée de thym
sel et poivre noir fraîchement moulu
75 g (3 oz) d'olives noires émincées
2 cuillerées à soupe de câpres
persil frais haché pour garnir

1 Mélangez la farine et le beurre ou la margarine jusqu'à obtenir des boulettes fines, puis incorporez les herbes et le sel. Mélangez avec de l'eau froide pour obtenir une pâte ferme. Préchauffez le four à 190 °C (375 °F).

2 Garnissez une tourtière de pâte. Mettez du papier sulfurisé et des haricots secs sur le fond. Faites cuire. Enlevez les haricots et le papier.

3 Faites doucement revenir les oignons et l'ail dans l'huile pendant 10 minutes environ, et râpez la muscade dessus.

4 Incorporez les tomates, le sucre, le thym et l'assaisonnement, et laissez frémir doucement 10 minutes jusqu'à ce que le mélange ait réduit et soit légèrement sirupeux.

5 Retirez du feu et laissez refroidir. Incorporez les olives et les câpres.

6 Au moment de servir, déposez la garniture à la cuillère dans le fond de tarte, saupoudrez de persil frais haché et servez à température ambiante.

VARIANTE

Pour servir la pissaladière chaude, parsemez-la de fromage râpé et passez-la au gril jusqu'à ce que le fromage soit doré et fasse des bulles. Le fond de tarte cuit peut être utilisé comme base de beaucoup d'autres préparations aux légumes. Essayez-le garni de salade russe : des tubercules hachés et cuits, dont des carottes et des pommes de terre, mélangés à des petits pois, des haricots et des oignons, assaisonnés de mayonnaise et de crème aigre. Surmontez le tout de tranches d'œufs durs et garnissez d'herbes fraîches hachées.

Stroganoff aux champignons variés

Si vous utilisez deux ou trois variétés de champignons, cette poêlée sera particulièrement savoureuse. Vous atteindrez la perfection en y incorporant des champignons des bois !

POUR 3 À 4 PERSONNES
3 cuillerées à soupe d'huile d'olive
450 g (1 lb) de champignons émincés (cèpes, shiitakes, ou girolles par exemple)
3 oignons nouveaux émincés
2 gousses d'ail écrasées
2 cuillerées à soupe de sherry sec ou de vermouth
sel et poivre noir fraîchement moulu
300 ml (1 1/4 tasse) de crème aigre ou de crème fraîche
1 cuillerée à soupe de marjolaine fraîche ou de feuilles de thym hachées
persil frais haché

1 Faites chauffer l'huile dans une grande casserole et faites sauter doucement les champignons, en remuant de temps en temps jusqu'à ce qu'ils soient tendres et juste cuits.

2 Ajoutez les oignons, l'ail et le sherry ou le vermouth et faites cuire encore 1 minute. Assaisonnez bien.

3 Incorporez la crème aigre ou la crème fraîche et faites chauffer juste en dessous du point d'ébullition. Ajoutez la marjolaine ou le thym, puis saupoudrez le persil. Servez avec du riz, des pâtes ou des pommes de terre nouvelles à la vapeur.

Pâtes aux gros haricots blancs et au pistou

Achetez un pistou tout préparé de bonne qualité, plutôt que de le faire vous-même. Le pistou constitue la base de plusieurs sauces très savoureuses et s'accorde particulièrement bien avec les gros haricots blancs.

POUR 4 PERSONNES
225 g (8 oz) de pâtes
sel et poivre noir fraîchement moulu
muscade fraîche râpée
2 cuillerées à soupe d'huile d'olive vierge extra
400 g (14 oz) de gros haricots blancs en boîte égouttés
3 cuillerées à soupe de sauce au pistou
150 ml (2/3 tasse) de crème fleurette
POUR SERVIR
3 cuillerées à soupe de pignons
fromage râpé (facultatif)
feuilles de basilic frais (facultatif)

1 Faites cuire les pâtes al dente, puis égouttez, en les laissant un peu humides. Remettez-les dans la casserole, assaisonnez et incorporez la muscade et l'huile.

2 Faites chauffer les haricots dans une casserole avec le pistou et la crème, en mélangeant jusqu'à ce que l'ébullition commence. Incorporez les haricots et le pistou dans les pâtes et mélangez bien.

3 Servez dans des bols avec des pignons, un peu de fromage râpé et des feuilles de basilic si vous le souhaitez.

Pommes au four aux trois garnitures

Les pommes de terre en robe des champs garnies avec diverses sauces constituent un excellent repas nourrissant. Bien qu'elles soient cuites ici dans un four traditionnel, vous pouvez les cuire plus rapidement et obtenir le même résultat dans un four à micro-ondes

4 pommes de terre moyennes
huile d'olive pour graisser
sel de mer pour servir

1 Préchauffez le four à 200 ˚C (400 ˚F). Entaillez les pommes de terre en croix et badigeonnez-les d'huile d'olive.

2 Placez-les sur une plaque et faites les cuire 45 à 60 minutes – testez la cuisson en plantant un couteau au milieu.

3 Ouvrez les pommes de terre le long des entailles et, avec les doigts, faites ressortir la chair de la base. Assaisonnez avec du sel et garnissez avec la sauce de votre choix.

Chaque garniture est prévue pour quatre pommes de terre.

GARNITURE AUX HARICOTS ROUGES
425 g (15 oz) de haricots rouges en boîte
200 g (7 oz) de fromage frais
2 cuillerées à soupe de sauce au piment
1 cuillerée à thé de cumin moulu

Égouttez les haricots, faites-les chauffer dans une casserole ou au micro-ondes et incorporez le reste des ingrédients.

GARNITURE DE LÉGUMES À LA SAUCE DE SOJA
2 poireaux finement émincés
2 carottes coupées en bâtonnets
1 courgette finement émincée
115 g (4 oz) de mini-épis de maïs coupés en deux
3 cuillerées à soupe d'huile
115 g (4 oz) de petits champignons de couche émincés
3 cuillerées à soupe de sauce de soja
2 cuillerées à soupe de sherry sec
1 cuillerée à soupe d'huile de sésame
graines de sésame pour saupoudrer

Faites sauter les poireaux, les carottes, les courgettes et les mini-épis de maïs dans l'huile pendant 2 minutes environ, puis ajoutez les champignons et laissez cuire 1 minute de plus. Mélangez la sauce de soja, le sherry et l'huile de sésame, et versez sur les légumes. Faites chauffer, puis saupoudrez des graines de sésame.

GARNITURE AU MAÏS À LA CRÈME ET AU FROMAGE
425 g (15 oz) de maïs à la crème en boîte
115 g (4 oz) de fromage râpé
1 cuillerée à thé d'herbes sèches mélangées
Faites chauffer le maïs, ajoutez le fromage et les herbes.

Bâtonnets au beurre de cacahuètes

Les enfants adoreront ces croquettes croustillantes et savoureuses. Préparez-les en grande quantité et congelez-les.

POUR 12 BÂTONNETS
1 kg (2 lb) de pommes de terre
1 gros oignon haché
2 gros poivrons rouges ou verts en julienne
3 carottes grossièrement râpées
3 cuillerées à soupe d'huile de tournesol
2 courgettes grossièrement râpées
115 g (4 oz) de champignons hachés
1 cuillerée à soupe d'herbes sèches mélangées
115 g (4 oz) de cheddar affiné râpé
75 g (3 oz) de beurre de cacahuètes avec morceaux
sel et poivre noir fraîchement moulu
2 œufs battus
50 g (2 oz) environ de chapelure sèche
45 ml / 3 cuillerées à soupe de parmesan sec
huile de friture

1 Faites cuire les pommes de terre, égouttez-les bien et écrasez-les. Réservez.

2 Faites revenir les oignons, les poivrons et les carottes dans l'huile pendant 5 minutes, puis ajoutez les courgettes et les champignons. Laissez cuire 5 minutes.

3 Mélangez les pommes de terre aux herbes, au fromage et au beurre. Assaisonnez, laissez refroidir 30 minutes, puis incorporez l'un des œufs.

4 Étalez sur un grand plat, laissez refroidir et mettez au réfrigérateur. Divisez ensuite en 12 portions et façonnez.

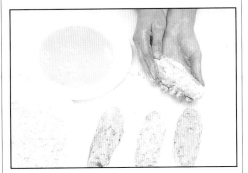

5 Mettez l'autre œuf dans un bol et trempez les bâtonnets dedans, puis roulez-les dans la chapelure et le parmesan. Remettez au frais pour fixer la panure.

6 Faites chauffer l'huile dans une friteuse puis faites frire les bâtonnets. Égouttez bien sur du papier absorbant. Servez chaud.

LE CONSEIL DU CHEF

Pour réchauffer, décongelez pendant 1 heure environ, puis passez au gril ou au four à 190 °C (375 °F) pendant 15 minutes.

Salade de pâtes tiède

Faites cuire des pâtes et mélangez-les à une vinaigrette et des légumes fraîchement préparés en salade – vous obtenez une délicieuse salade.

POUR 2 PERSONNES
115 g (4 oz) de pâtes
3 cuillerées à soupe de sauce vinaigrette
3 tomates séchées à l'huile ciselées
2 oignons nouveaux en rondelles
2 ou 3 bouquets de cresson ou de roquette hachés
1/4 de concombre coupé en deux, épépiné et émincé
sel et poivre noir fraîchement moulu
40 g (1 1/2 oz) environ de pecorino râpé

1 Faites cuire les pâtes, conformément aux indications figurant sur le paquet. Égouttez et versez la vinaigrette dessus.

2 Ajoutez les tomates, les oignons nouveaux, le cresson ou la roquette et le concombre. Assaisonnez à votre goût.

3 Répartissez sur deux assiettes et saupoudrez de fromage. Servez à température ambiante.

Pennes sauce « cancan »

La qualité des légumes secs et des tomates en boîte est tellement bonne qu'il est possible de les transformer en quelques minutes en une sauce au goût très frais. Là aussi, vous pouvez choisir toutes sortes de pâtes.

POUR 3 À 4 PERSONNES
225 g (8 oz) de pennes
1 oignon en rondelles
1 poivron rouge épépiné en rondelles
2 cuillerées à soupe d'huile d'olive
400 g (14 oz) de tomates concassées en boîte
425 g (15 oz) de pois chiches en boîte
2 cuillerées à soupe de vermouth sec (facultatif)
1 cuillerée à thé d'origan sec
1 feuille de laurier
2 cuillerées à soupe de câpres
sel et poivre fraîchement moulu

1 Faites cuire les pâtes, conformément aux indications figurant sur le paquet, puis égouttez-les. Dans une casserole, faites doucement revenir l'oignon et le poivron dans l'huile pendant 5 minutes environ, en remuant de temps en temps jusqu'à ce qu'ils deviennent tendres.

2 Ajoutez les tomates, les pois chiches avec leur jus, le vermouth, les herbes et les câpres.

3 Assaisonnez et portez à ébullition, puis laissez frémir 10 minutes environ. Enlevez la feuille de laurier et mélangez la sauce aux pâtes. Réchauffez et servez chaud.

Tofu et légumes croquants

Riche en protéines, le tofu est un ingrédient miracle et si vous utilisez du tofu fumé, votre plat aura encore plus de saveur. Pour un sauté bien réussi, préparez tous vos ingrédients à l'avance.

POUR 4 PERSONNES
450 g (1 lb) de tofu fumé en cubes
3 cuillerées à soupe de sauce de soja
2 cuillerées à soupe de sherry sec ou de vermouth
1 cuillerée à soupe d'huile de sésame
3 cuillerées à soupe d'huile d'arachide ou de tournesol
2 poireaux finement émincés
2 carottes coupées en bâtonnets
1 grosse courgette en rondelles fines
115 g (4 oz) de mini-épis de maïs coupés en deux
115 g (4 oz) de champignons de couche
1 cuillerée à soupe de graines de sésame
1 paquet de nouilles aux œufs cuites

1 Faites mariner le tofu dans la sauce de soja, le sherry et l'huile de sésame pendant 30 minutes au moins. Égouttez et réservez la marinade.

2 Faites chauffer l'huile d'arachide ou de tournesol dans un wok et faites sauter les cubes. Enlevez et réservez.

3 Faites sauter les poireaux, les carottes, la courgette et les mini-épis de maïs pendant 2 minutes environ, en remuant sans arrêt. Ajoutez les champignons et laissez cuire 1 minute.

4 Remettez le tofu dans le wok et versez la marinade dessus. Faites chauffer jusqu'à ébullition, puis saupoudrez de graines de sésame.

5 Servez aussi vite que possible avec les nouilles chaudes, assaisonnées d'un peu d'huile de sésame si vous le souhaitez.

VARIANTE

Le tofu est également excellent mariné et mis en broche, puis légèrement grillé. Retirez le tofu des brochettes et glissez-les dans des poches de pain pita. Remplissez de salade assaisonnée au citron et servez avec une crème de sésame.

Œufs foo yung

Ce savoureux plat oriental, aux textures variées, est un excellent moyen d'accommoder un reste de riz cuit pour en faire un repas complet. Utilisez des germes de soja achetés dans le commerce ou faites-les pousser vous-mêmes.

POUR 4 PERSONNES
sel et poivre noir fraîchement moulu
3 œufs battus
1 bonne pincée de cinq-épices (facultatif)
3 cuillerées à soupe d'huile d'arachide ou de tournesol
4 oignons nouveaux émincés
1 gousse d'ail écrasée
1 petit poivron vert épépiné et coupé en julienne
115 g (4 oz) de pousses de soja
225 g (8 oz) de riz blanc cuit
3 cuillerées à soupe de sauce de soja légère
1 cuillerée à soupe d'huile de sésame

1 Assaisonnez les œufs et battez-les avec la poudre de cinq-épices.

2 Dans un wok ou une grande poêle, faites chauffer une cuillerée à soupe d'huile, puis versez les œufs.

3 Faites cuire les œufs comme une omelette.

4 Démoulez et coupez l'omelette en bandes étroites.

5 Faites chauffer le restant d'huile et faites sauter les oignons, l'ail, le poivron et les pousses de soja pendant 2 minutes environ, en remuant sans arrêt.

6 Ajoutez le riz et faites bien chauffer. Versez la sauce de soja et l'huile de sésame, puis remettez les œufs et mélangez bien. Servez très chaud.

Œufs Bénédicte et sauce hollandaise vite faite

Réussir une sauce hollandaise traditionnelle sans grumeaux est assez délicat. Pour la réussir rapidement, utilisez un mixer. Elle sera délicieuse servie chaude sur des œufs pochés et des muffins tièdes.

POUR 4 PERSONNES
2 jaunes d'œufs
1 cuillerée à thé de moutarde sèche
sel et poivre noir fraîchement moulu
1 cuillerée à soupe de vinaigre de vin ou de jus de citron
175 g (6 oz) de beurre
4 muffins coupés en deux
beurre ou pâte à tartiner allégée
4 gros œufs
2 cuillerées à soupe de câpres
un peu de persil frais haché pour garnir

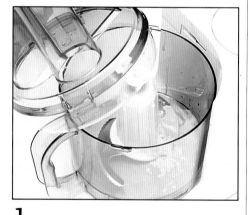

1 Mélangez les jaunes d'œufs avec la moutarde et l'assaisonnement dans un mixer pendant quelques secondes. Ajoutez le vinaigre ou le jus de citron.

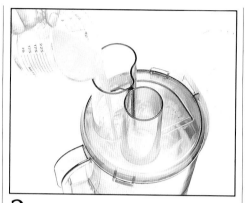

2 Faites chauffer le beurre jusqu'à ce qu'il soit sur le point d'arriver à ébullition puis, en laissant fonctionner le mixer, versez-le lentement sur les jaunes d'œufs.

3 Le mélange devrait s'émulsifier instantanément et épaissir en devenant crémeux. Arrêtez le mixer et réservez.

4 Grillez les muffins fendus. Coupez quatre des moitiés en deux et beurrez-les légèrement. Placez les quatre moitiés non coupées sur des assiettes chauffées et laissez-les non beurrées.

5 Faites pocher les œufs dans de l'eau frémissante ou dans une pocheuse. Égouttez bien et faites-les glisser avec précaution sur les moitiés de muffins.

6 Déposez la sauce à la cuillère sur les muffins, puis parsemez-les de câpres et de persil. Servez immédiatement avec les quarts de muffins beurrés.

VARIANTE

Ce plat traditionnel de brunch américain serait originaire de New York ; il est idéal pour une occasion spéciale comme un anniversaire ou le Nouvel An.
Au lieu de servir ces œufs sur des muffins grillés, vous pouvez les présenter sur un lit d'épinards légèrement étuvés ou blanchis, avec des rondelles d'oignons et des champignons émincés et poêlés. Vous pouvez également intégrer ce plat dans un repas plus complet. La sauce hollandaise convient à tous les légumes : pommes de terre au four, chou-fleur et brocoli notamment.

Ratatouille légère

Ce mélange de légumes frais légèrement cuits est servi avec des œufs pochés et saupoudré de chapelure grillée.

POUR 4 PERSONNES
3 cuillerées à soupe d'huile d'olive
50 g (2 oz) de chapelure blanche fraîche
1 poivron rouge ou vert, épépiné et finement émincé
2 gousses d'ail écrasées
2 poireaux finement émincés
2 courgettes finement émincées
2 tomates pelées et émincées
1 cuillerée à thé de romarin sec écrasé
4 œufs
sel et poivre noir fraîchement moulu

1 Faites chauffer la moitié de l'huile dans un plat peu profond allant au four et faites frire la chapelure. Égouttez sur du papier absorbant.

2 Ajoutez le reste de l'huile et faites sauter le poivron, l'ail et les poireaux dans le même plat pendant 10 minutes environ, jusqu'à ce qu'ils soient tendres.

3 Ajoutez les courgettes, les tomates et le romarin, et laissez cuire 5 minutes encore. Assaisonnez bien.

4 Faites quatre puits dans le mélange de légumes et cassez un œuf dans chacun. Assaisonnez les œufs, puis couvrez et faites cuire à feu doux pendant 3 minutes environ.

5 Saupoudrez de chapelure croustillante et servez immédiatement, très chaud.

Soufflé de macaronis

Ce soufflé – qui est en fait un plat de macaronis au fromage léger et gonflant – est généralement apprécié des enfants. Servez-le aussitôt après l'avoir sorti du four, avant qu'il ne retombe.

POUR 3 À 4 PERSONNES
75 g (3 oz) de macaronis coupés
beurre fondu pour le plat
3 cuillerées à soupe de chapelure sèche
50 g (2 oz) de beurre
1 cuillerée à thé de paprika moulu
40 g (1 1/2 oz) de farine
300 ml (1 1/4 tasse) de lait
75 g (3 oz) de cheddar ou de gruyère râpé
50 g (2 oz) de parmesan râpé
sel et poivre noir fraîchement moulu
3 œufs, jaunes et blancs séparés

1 Faites cuire les macaronis, conformément aux indications figurant sur le paquet. Égouttez bien et réservez. Préchauffez le four à 150 °C (300 °F).

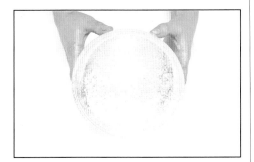

2 Badigeonnez un moule à soufflé de beurre fondu, puis chemisez avec la chapelure. Éliminez l'excédent.

3 Mettez le beurre, le paprika, la farine et le lait dans une casserole et portez à ébullition lentement, en mélangeant jusqu'à ce que le mélange soit lisse.

4 Laissez frémir la sauce 1 minute, puis retirez du feu et incorporez les fromages jusqu'à ce qu'ils fondent. Assaisonnez bien et mélangez avec les macaronis.

5 Incorporez les jaunes d'œufs battus. Fouettez les blancs d'œufs jusqu'à ce qu'ils forment des crêtes et versez-en un quart dans le mélange précédent, en fouettant légèrement pour mélanger.

6 Avec une grande cuillère en métal, intégrez délicatement le reste des blancs d'œufs, puis versez le tout dans le moule préparé.

7 Faites cuire à mi-hauteur du four pendant 40 à 45 minutes jusqu'à ce que le soufflé ait levé et soit doré. Le centre doit trembler très légèrement et l'intérieur du soufflé être légèrement crémeux.

Potée du cow-boy

Vous pouvez utiliser n'importe quel mélange de légumes pour ce plat, mais les haricots s'imposent pour tout cow-boy qui se respecte !

POUR 4 À 6 PERSONNES
1 oignon émincé
1 poivron rouge émincé
1 patate douce ou 2 carottes en julienne
3 cuillerées à soupe d'huile de tournesol
115 g (4 oz) de haricots verts en julienne
400 g (14 oz) de haricots préparés en boîte
200 g (7 oz) de maïs doux en boîte
1 cuillerée à soupe de purée de tomates
1 cuillerée à thé d'épices pour assaisonnement « barbecue »
115 g (4 oz) de fromage en dés
450 g (1 lb) de pommes de terre en rondelles fines
2 cuillerées à soupe de beurre fondu
sel et poivre noir fraîchement moulu

1 Faites revenir l'oignon, le poivron et la patate douce ou les carottes dans l'huile jusqu'à ce qu'ils soient tendres mais non brunis.

2 Ajoutez les haricots verts, les haricots préparés, le maïs (avec son jus), la purée de tomates et l'assaisonnement. Portez à ébullition, puis laissez frémir 5 minutes.

3 Faites passer les légumes dans un plat peu profond allant au four, puis répartissez dessus les dés de fromage.

4 Couvrez les légumes et le fromage avec les rondelles de pomme de terre, badigeonnez de beurre, assaisonnez et mettez au four à 190 °C (375 °F) pendant 30 à 40 minutes.

Riz et légumes sautés

S'il vous reste du riz cuit et quelques légumes au fond du réfrigérateur, vous avez tout ce qu'il faut pour ce repas rapide et savoureux.

POUR 4 PERSONNES
1/2 concombre
2 oignons nouveaux coupés en biseau
1 gousse d'ail écrasée
2 carottes en rondelles fines
1 petit poivron rouge ou jaune épépiné et émincé
3 cuillerées à soupe d'huile de tournesol ou d'arachide
1/4 de petit chou vert émincé
225 g (8 oz) de riz long cuit
2 cuillerées à soupe de sauce de soja légère
1 cuillerée à soupe d'huile de sésame
sel et poivre noir fraîchement moulu
persil ou coriandre frais haché (facultatif)
115 g (4 oz) de noix de cajou, d'amandes ou de cacahuètes non salées

1 Coupez le concombre en deux dans le sens de la longueur et évidez-le avec une petite cuillère pour éliminer les pépins. Coupez la chair en diagonale. Réservez.

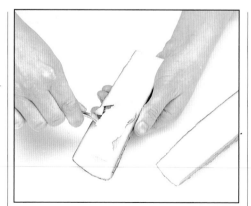

2 Dans un wok ou une grande poêle, faites sauter les oignons, l'ail, les carottes et le poivron dans l'huile pendant 3 minutes environ, jusqu'à ce qu'ils soient un peu attendris.

3 Ajoutez le chou et le concombre, et faites encore sauter 1 ou 2 minutes jusqu'à ce que les feuilles se flétrissent. Incorporez le riz, la sauce de soja, l'huile de sésame et l'assaisonnement. Réchauffez le mélange en remuant sans arrêt.

4 Ajoutez les herbes et les noix. Rectifiez l'assaisonnement et servez chaud.

Tortilla aux poivrons et pommes de terre

La tortilla ressemble à une omelette épaisse ou à une quiche sans pâte. Ce plat traditionnel espagnol se mange de préférence froid, en bouchées découpées. Il est idéal pour un repas de pique-nique. Utilisez un fromage espagnol dur, comme le mahon, ou un fromage de chèvre ; à défaut, un cheddar affiné fera l'affaire.

POUR 4 PERSONNES
2 pommes de terre moyennes
3 cuillerées à soupe d'huile d'olive
1 gros oignon finement émincé
2 gousses d'ail écrasées
2 poivrons, un rouge et un vert, finement émincés
6 œufs battus
115 g (4 oz) de fromage affiné râpé
sel et poivre noir fraîchement moulu

1 Ne pelez pas les pommes de terre, mais lavez-les bien. Faites-les cuire pendant 10 minutes, puis égouttez-les et coupez-les en rondelles épaisses. Faites chauffer le gril pendant que vous préparez la tortilla.

2 Dans une grande poêle, faites chauffer l'huile et faites revenir l'oignon, l'ail et les poivrons à feu modéré pendant 5 minutes, jusqu'à ce qu'ils soient attendris.

3 Ajoutez les pommes de terre et continuez à faire sauter, en remuant de temps en temps jusqu'à ce que les légumes soient tendres. Ajoutez un peu d'huile si la poêle paraît sèche.

4 Versez la moitié des œufs, et saupoudrez avec la moitié du fromage, puis versez le reste des œufs, en assaisonnant à chaque étape. Finissez par une couche de fromage.

5 Continuez la cuisson à feu doux, sans mélanger, en couvrant à moitié la poêle pour aider les œufs à prendre.

6 Quand le mélange est ferme, passez rapidement la poêle sous le gril chaud pour saisir légèrement le dessus. Laissez refroidir la tortilla dans la poêle – cela l'aide à s'affermir encore et facilite son démoulage.

VARIANTE

À la place des poivrons, vous pouvez ajouter n'importe quel légume émincé et légèrement cuit, notamment des champignons, des courgettes ou des brocolis. Les pâtes ou le riz brun sont également d'excellentes possibilités.

Gratin de chou-fleur et d'œufs fromagés

Nul besoin de préparer une sauce béchamel pour réaliser ce plat traditionnel et rustique. Une sauce rapide peut être faite en quelques minutes, et un petit sachet de croûtons donnera au plat un délicieux fini croquant.

POUR 4 PERSONNES
1 chou-fleur moyen (séparez les bouquets du sommet)
1 oignon moyen émincé
2 œufs durs écalés et hachés
40 g (1 1/2 oz) de farine complète
1 cuillerée à thé de curry doux
25 g (1 oz) de margarine de tournesol ou de pâte à tartiner allégée
450 ml (2 tasses) de lait
1/2 cuillerée à thé de thym sec
sel et poivre noir fraîchement moulu
115 g (4 oz) de fromage affiné râpé
1 petit sachet de croûtons

1 Recouvrez le chou-fleur et l'oignon d'eau salée, et faites les bouillir jusqu'à ce qu'ils soient juste tendres – évitez de trop les cuire. Égouttez bien.

2 Disposez le chou-fleur et l'oignon dans un plat peu profond allant au four et répartissez dessus l'œuf haché.

3 Mettez la farine, le curry, la matière grasse et le lait dans une casserole. Portez doucement à ébullition, en mélangeant bien jusqu'à ce que la sauce ait épaissi et soit lisse. Incorporez le thym et assaisonnez, puis laissez frémir la sauce 1 ou 2 minutes. Retirez la casserole du feu et incorporez les trois quarts du fromage.

4 Versez la sauce sur le chou-fleur, parsemez des croûtons et saupoudrez avec le restant de fromage. Faites colorer sous un gril chaud et servez. Ce plat est délicieux avec un pain épais.

Pilaf rapide de basmati et de noix

Le riz basmati, léger et parfumé, se cuisine parfaitement selon cette recette toute simple. Utilisez vos noix préférées – vous pouvez y mettre des cacahuètes, mais les amandes, les noix de cajou ou les pistaches, plus exotiques, conviennent mieux.

POUR 4 À 6 PERSONNES
225 g (8 oz) de riz basmati
1 oignon haché
1 gousse d'ail écrasée
1 grosse carotte grossièrement râpée
1-2 cuillerées à soupe d'huile de tournesol
1 cuillerée à thé de graines de cumin
2 cuillerées à thé de coriandre moulue
2 cuillerées à thé de graines de moutarde noire (facultatif)
4 capsules de cardamome
450 ml (2 tasses) de bouillon ou d'eau
1 feuille de laurier
sel et poivre noir fraîchement moulu
75 g (3 oz) de noix non salées
persil ou coriandre frais pour garnir

RINÇAGE DU BASMATI

Pour obtenir un riz basmati aux grains légers et gonflants, rincez-le avant de le cuire pour éliminer l'amidon de surface. Selon la méthode traditionnelle, mettez le riz dans un grand récipient d'eau froide, remuez les grains avec vos mains, puis videz l'eau trouble. Répétez l'opération cinq fois environ. Au mieux, laissez tremper le riz 30 minutes dans la dernière eau de rinçage.

1 Lavez le riz selon la méthode indienne traditionnelle (voir Rinçage du basmati) ou, plus rapidement, dans un chinois sous l'eau courante, puis égouttez-le bien.

2 Dans une casserole, faites revenir l'oignon, l'ail et la carotte dans l'huile pendant quelques minutes.

3 Incorporez le riz et les épices et faites cuire encore 1 ou 2 minutes, pour que les grains soient enrobés d'huile.

4 Versez le bouillon ou l'eau, ajoutez la feuille de laurier et assaisonnez bien. Portez à ébullition et laissez frémir très doucement 10 minutes environ.

5 Retirez du feu sans enlever le couvercle, le riz s'affermira et continuera à cuire. Laissez reposer 5 minutes environ.

6 Si le riz est cuit, vous verrez des petits trous de vapeur au centre. Jetez la feuille de laurier et les capsules de cardamome.

7 Incorporez les noix et rectifiez l'assaisonnement. Saupoudrez le mélange de persil ou de coriandre hachés. Ce plat complet peut être préparé à l'avance et réchauffé.

Quorn avec gingembre, piment et poireaux 🌿

Le Quorn est une mycoprotéine alimentaire récemment créée, qui se prête à de nombreuses préparations et absorbe facilement les saveurs en conservant une texture ferme et agréable.

POUR 4 PERSONNES
225 g (8 oz) de Quorn en cubes
3 cuillerées à soupe de sauce de soja
2 cuillerées à soupe de sherry sec ou de vermouth
2 cuillerées à thé de miel clair
150 ml (3/4 tasse) de bouillon
2 cuillerées à thé de farine de maïs
3 cuillerées à soupe d'huile de tournesol ou d'arachide
3 poireaux finement émincés
1 piment rouge épépiné et émincé
2,5 cm (1 po) de gingembre frais pelé et râpé
sel et poivre noir fraîchement moulu

1 Remuez le Quorn dans la sauce de soja et le sherry ou le vermouth, jusqu'à ce qu'il soit bien enrobé, et laissez mariner 30 minutes environ.

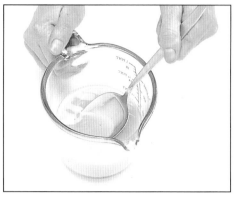

2 Égouttez le Quorn et réservez le jus. Mélangez la marinade avec le miel, le bouillon et la farine de maïs pour obtenir une pâte.

3 Faites chauffer l'huile dans un wok ou une grande poêle et, une fois chaude, faites sauter le Quorn jusqu'à ce qu'il soit croustillant. Retirez-le et réservez.

4 Réchauffez l'huile et faites sauter les poireaux, le piment et le gingembre 2 minutes environ, jusqu'à ce qu'ils soient juste attendris. Assaisonnez légèrement.

5 Remettez le Quorn dans la poêle avec la marinade et mélangez bien jusqu'à ce que le liquide soit épais et brillant. Servez chaud avec du riz ou des nouilles.

Pommes de terre à la chinoise avec haricots rouges

Style américain et parfums chinois :
l'Orient et l'Occident se rencontrent
dans ce plat ! Sa sauce est
particulièrement savoureuse.

POUR 4 PERSONNES
2 pommes de terre moyennes en gros
   morceaux
3 oignons nouveaux émincés
1 gros piment frais épépiné et émincé
2 cuillerées à soupe d'huile de tournesol
   ou d'arachide
2 gousses d'ail écrasées
400 g (14 oz) de haricots rouges en boîte
égouttés
2 cuillerées à soupe de sauce de soja
1 cuillerée à soupe d'huile de sésame
POUR SERVIR
sel et poivre noir fraîchement moulu
1 cuillerée à soupe de graines de sésame
coriandre ou persil frais hachés pour garnir

1 Faites cuire les pommes de terre
jusqu'à ce qu'elles soient juste tendres –
ne les laissez pas trop cuire. Égouttez et
réservez.

2 Dans une grande poêle ou un wok,
faites revenir les ciboules et le piment
dans l'huile pendant 1 minute environ,
puis ajoutez l'ail et laissez sauter
quelques secondes encore.

3 Ajoutez les pommes de terre, en
mélangeant bien, puis les haricots et,
enfin, la sauce de soja et l'huile de sésame.

4 Assaisonnez à votre goût et faites
cuire les légumes jusqu'à ce qu'ils soient
uniformément chauds. Saupoudrez de
graines de sésame et de coriandre ou de
persil.

Taboulé

Cette salade est à base de boulgour. Préparez-la un jour à l'avance si possible, pour que les saveurs aient le temps de se développer.

POUR 4 PERSONNES
115 g (4 oz) de boulgour
6 cuillerées à soupe de jus de citron frais
5 cuillerées à soupe d'huile d'olive vierge extra
6 cuillerées à soupe de persil frais haché
4 cuillerées à soupe de menthe fraîche hachée
3 oignons nouveaux finement hachés
4 tomates fermes pelées et concassées
sel et poivre noir fraîchement moulu

1 Recouvrez le boulgour d'eau froide et laissez tremper 20 minutes, puis égouttez bien et pressez pour extraire l'eau.

2 Mettez le boulgour dans un autre récipient et ajoutez tous les autres ingrédients, en mélangeant et en assaisonnant bien.

3 Couvrez et mettez au réfrigérateur quelques heures, ou toute la nuit si possible.

Crudités au houmous

Apprécié de toute la famille, le houmous se prépare rapidement avec un mixer. La pâte de sésame est le secret du houmous réussi – vous la trouverez dans les épiceries fines et même dans certains supermarchés.

POUR 2 À 3 PERSONNES
425 g (15 oz) de pois chiches en boîte égouttés
2 cuillerées à soupe de pâte de sésame
2 cuillerées à soupe de jus de citron frais
1 gousse d'ail écrasée
sel et poivre noir fraîchement moulu
huile d'olive et paprika pour garnir
POUR SERVIR
diverses crudités (concombre, endive, mini-carottes, poivron, radis...)
pain coupé en bouchées (pita, pain aux noix, naans, bruschetta, bâtonnets de gressins...)

1 Mettez les pois chiches, la pâte de sésame, le jus de citron, l'ail et beaucoup d'assaisonnement dans un mixer, et hachez jusqu'à obtenir une pâte lisse.

2 Mettez le houmous dans un bol et donnez un mouvement à la surface avec le dos d'une cuillère. Versez quelques gouttes d'huile et saupoudrez de paprika.

3 Préparez plusieurs crudités et des bouchées de votre pain favori.

4 Disposez le tout en un mélange coloré sur un grand plat, en mettant le bol de houmous au centre. Trempez crudités et pains, et régalez-vous !

Pizzas pita

Les pains pita font une excellente base pour des pizza fines et croustillantes, faciles à manger avec les doigts ; le parfait en-cas rapide !

POUR 4 PERSONNES
pizza de base
4 pains pita, de préférence complets
petit pot de sauce pour pâtes
225 g (8 oz) de mozzarelle en lamelles ou rapée
origan ou thym sec pour saupoudrer
sel et poivre noir fraîchement moulu
GARNITURES SUPPLÉMENTAIRES – AU CHOIX
1 petit oignon rouge finement émincé et légèrement revenu à la poêle
champignons en lamelles revenus
200 g (7 oz) de maïs doux en boîte égoutté
piments jalapenos émincés
olives noires ou vertes dénoyautées et coupées en rondelles
câpres égouttées

1 Préparez deux ou trois garnitures de votre choix.

2 Préchauffez le gril et grillez légèrement les pains pita de chaque côté.

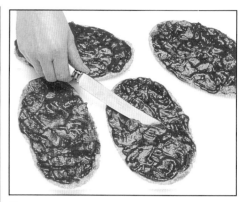

3 Étalez la sauce pour pâtes sur chaque pain pita, jusqu'au bord – cela empêchera le bord du pain pita de brûler.

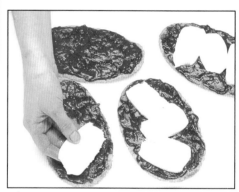

4 Arrangez les lamelles de fromage ou le fromage râpé sur chaque pain pita, et saupoudrez d'herbes et d'assaisonnement.

5 Ajoutez les garnitures de votre choix, puis faites griller les pizzas 5 à 8 minutes jusqu'à ce qu'elles soient dorées et qu'elles fassent des bulles. Servez immédiatement.

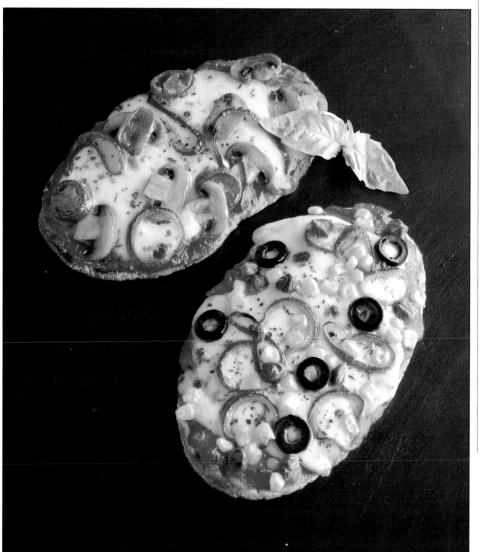

Tagliatelles aux épinards, au soja et au fromage à l'ail

Vous obtiendrez des plats délicieux en mélangeant des ingrédients empruntés à différentes cuisines. Dans ce plat magnifique, les pâtes italiennes et les épinards s'accordent parfaitement avec la sauce de soja et le fromage frais à l'ail français.

POUR 4 PERSONNES
225 g (8 oz) de tagliatelles, de préférence de différentes couleurs
225 g (8 oz) d'épinards en branche frais
2 cuillerées à soupe de sauce de soja légère
75 g (3 oz) de fromage à l'ail et aux herbes
3 cuillerées à soupe de lait
sel et poivre noir fraîchement moulu

1 Faites cuire les tagliatelles, puis égouttez-les. Remettez-les dans la casserole.

2 Pendant ce temps, faites blanchir les épinards dans très peu d'eau, puis égouttez-les très soigneusement en les pressant dessus avec le dos d'une cuillère en bois. Hachez grossièrement avec des ciseaux de cuisine.

3 Remettez les épinards dans leur casserole et incorporez la sauce de soja, le fromage à l'ail et aux herbes et le lait. Portez doucement à ébullition, en mélangeant jusqu'à ce que la sauce soit lisse. Assaisonnez à votre goût.

4 Quand la sauce est prête, versez-la sur les pâtes. Mélangez bien le tout et servez chaud.

Spaghettis à la feta

Les pâtes ne sont pas seulement une spécialité de la cuisine italienne ; les Grecs les apprécient également beaucoup. Elles s'accordent magnifiquement avec la feta.

POUR 2 À 3 PERSONNES
115 g (4 oz) de spaghettis
1 gousse d'ail
2 cuillerées à soupe d'huile d'olive vierge extra
8 tomates cerises coupées en deux
un peu de muscade fraîchement râpée
sel et poivre noir fraîchement moulu
75 g (3 oz) de feta émiettée
1 cuillerée à soupe de basilic frais haché
quelques olives noires pour servir

1 Faites cuire les spaghettis dans une grande quantité d'eau légèrement salée, conformément aux indications figurant sur le paquet, puis égouttez.

2 Dans une casserole, faites chauffer doucement la gousse d'ail dans l'huile pendant 1 ou 2 minutes, puis ajoutez les tomates cerises.

3 Montez le feu pour faire légèrement sauter les tomates pendant 1 minute, puis enlevez l'ail et jetez-le.

4 Versez les spaghettis sur les tomates, assaisonnez de muscade, de sel et de poivre, puis incorporez la feta émiettée et le basilic.

5 Rectifiez l'assaisonnement en sachant que la feta est déjà assez salée. Servez chaud, avec quelques olives si vous le souhaitez.

Pommes de terre au fromage bleu et aux noix

Nous sommes tellement habitués à manger des pommes de terre en garniture que nous oublions qu'elles peuvent également constituer un bon plat principal. Cette recette se prête à de multiples occasions. Utilisez du stilton, du danish blue, du brie bleu ou tout autre fromage à pâte persillée.

POUR 4 PERSONNES
450 g (1 lb) de petites pommes de terre nouvelles
1 petit bouquet de céleri émincé
1 petit oignon rouge émincé
115 g (4 oz) d'un fromage bleu écrasé
150 ml (2/3 tasse) de crème fleurette
sel et poivre noir fraîchement moulu
100 g (3 1/2 oz) de brisures de noix
2 cuillerées à soupe de persil frais haché

1 Couvrez les pommes de terre d'eau et faites bouillir pendant 15 minutes environ, en ajoutant le céleri émincé et l'oignon dans la casserole pendant les 5 dernières minutes de la cuisson.

2 Égouttez les légumes et mettez-les dans un plat de service peu profond.

3 Dans une petite casserole, faites fondre lentement le fromage dans la crème, en mélangeant de temps à autre. Ne laissez pas bouillir.

4 Assaisonnez à votre goût. Versez sur les légumes et répartissez dessus les noix et le persil. Servez chaud.

Burgers de haricots aduki

Ces burgers sont assez longs à préparer, mais ils remplacent de façon savoureuse ceux que vous pouvez acheter tout faits ; cela vaut la peine d'en préparer beaucoup et d'en congeler.

POUR 12 BURGERS
200 g (7 oz) de riz brun
1 oignon haché
2 gousses d'ail écrasées
2 cuillerées à soupe d'huile de tournesol
4 cuillerées à soupe de beurre
1 petit poivron vert épépiné et haché
1 carotte grossièrement râpée
400 g (14 oz) de haricots aduki en boîte
   égouttés ou 125 g (4 oz) de pois secs
   trempés et cuits
1 œuf battu
125 g (4 oz) de fromage affiné râpé
1 cuillerée à thé de thym sec
50 g (2 oz) de noisettes grillées ou
   d'amandes effilées grillées
sel et poivre noir fraîchement moulu
farine complète ou de maïs pour paner
huile de friture

1 Préparer le riz, selon les indications figurant sur le paquet, en le laissant trop cuire pour qu'il soit plus tendre. Égouttez et mettez-le dans un grand bol.

2 Faites revenir l'oignon et l'ail dans l'huile et le beurre, avec le poivron et la carotte pendant 10 minutes, jusqu'à ce que les légumes soient un peu tendres.

3 Mélangez les légumes au riz, avec les haricots, l'œuf, le fromage, le thym, les noisettes ou les amandes et beaucoup de sel et de poivre. Réfrigérez.

4 Façonnez 12 petits pâtés, en passant vos mains sous l'eau si le mélange colle. Passez-les dans la farine et réservez.

5 Faites chauffer 1 cm (1/2 po) d'huile dans une grande poêle et faites frire les burgers jusqu'à ce qu'ils soient bruns des deux côtés, soit au total 5 minutes environ. Enlevez et égouttez sur du papier absorbant. Servez-en tout de suite et congelez le reste pour plus tard. Présentez dans des petits pains.

LE CONSEIL DU CHEF

Pour congeler les burgers, laissez-les refroidir après cuisson, puis placez-les au congélateur, à nu dans un premier temps, avant de les mettre dans des sachets. Consommez dans un délai de six semaines. Faites cuire sans décongeler dans un four préchauffé.

Quiche aux courgettes

Utilisez de préférence un fromage de chèvre sec pour cette quiche – sa saveur s'accorde bien avec celle des courgettes. Faites cuire le fond de tarte à nu pour obtenir une croûte croustillante.

POUR 6 PERSONNES

POUR LA PÂTE
115 g (4 oz) de farine complète
115 g (4 oz) de farine ordinaire
115 g (4 oz) de margarine de tournesol

POUR LA GARNITURE
1 oignon rouge finement émincé
2 cuillerées à soupe d'huile d'olive
2 grosses courgettes en rondelles
175 g (6 oz) de fromage râpé
30 ml de basilic frais haché
3 œufs battus
300 ml (1 1/4 tasse) de lait
sel et poivre noir fraîchement moulu

1 Préchauffez le four à 200 °C (400 °F). Mélangez les farines et incorporez la margarine jusqu'à ce que des boulettes se forment, puis ajoutez de l'eau froide jusqu'à obtenir une pâte ferme.

2 Étalez la pâte au rouleau et disposez-la dans une tourtière de 23-25 cm (9-10 po) de diamètre et de 2,5 cm (1 po) de profondeur. Piquez le fond avec une fourchette, mettez au réfrigérateur 30 minutes, puis garnissez de papier sulfurisé et de haricots secs.

3 Faites cuire la pâte à nu pendant 20 minutes, en enlevant le papier et les haricots pendant les 5 dernières minutes pour qu'elle devienne croustillante.

4 Faites suer l'oignon dans l'huile pendant 5 minutes. Ajoutez les courgettes et faites sauter 5 minutes.

5 Déposez les légumes dans le fond de tarte. Répartissez dessus la plus grande partie du fromage et tout le basilic.

6 Battez ensemble les œufs, le lait et l'assaisonnement, et versez sur la garniture. Saupoudrez dessus le restant de fromage.

7 Réduisez la température du four à 180 °C (350 °F) et mettez la tarte au four pendant 40 minutes environ, jusqu'à ce qu'elle ait levé. Laissez un peu refroidir avant de servir.

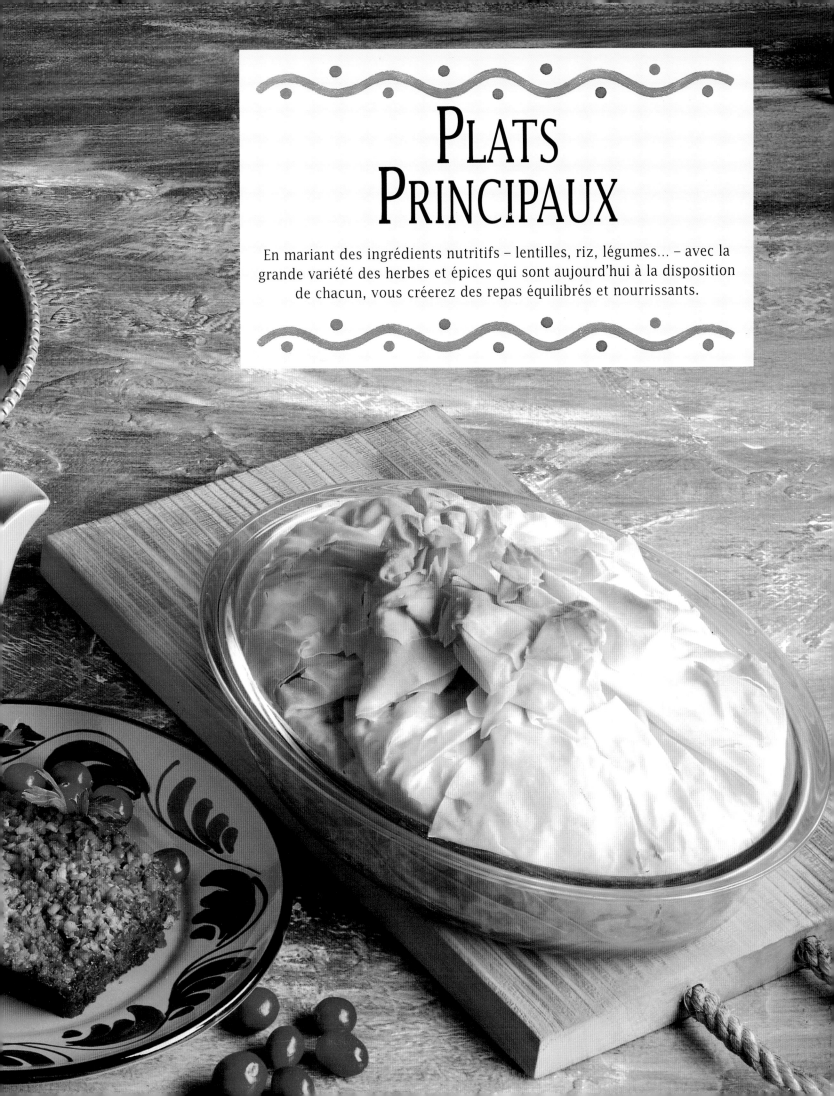

PLATS PRINCIPAUX

En mariant des ingrédients nutritifs – lentilles, riz, légumes... – avec la grande variété des herbes et épices qui sont aujourd'hui à la disposition de chacun, vous créerez des repas équilibrés et nourrissants.

Épinards à l'orientale

Faites sauter des épinards avec des oignons et des épices, puis ajoutez une boîte de pois chiches : vous obtiendrez un délicieux plat de résistance en un rien de temps !

POUR 4 PERSONNES
1 oignon émincé
2 cuillerées à soupe d'huile d'olive ou de tournesol
2 gousses d'ail écrasées
1 cuillerée à thé de graines de cumin
400 g (14 oz) d'épinards lavés et déchirés
425 g (15 oz) de pois chiches en boîte égouttés
1 noix de beurre
sel et poivre noir fraîchement moulu

1 Dans une grande poêle ou un wok, faites revenir l'oignon dans l'huile pendant 5 minutes environ, jusqu'à ce qu'il soit tendre. Ajoutez l'ail et le cumin, et laissez revenir 1 minute encore.

2 Ajoutez les épinards petit à petit, en mélangeant jusqu'à ce que les feuilles commencent à mollir. Les épinards frais réduisent de manière spectaculaire à la cuisson – tout rentrera dans la poêle !

3 Versez les pois chiches, ajoutez le beurre, salez et poivrez. Réchauffez jusqu'au point d'ébullition ; servez immédiatement. Éliminez les jus de cuisson si vous le souhaitez, mais ce plat est également très bon avec un peu de sauce.

Assortiment de légumes et lentilles à la bolognaise 🍃

Pour changer de l'habituelle sauce blanche ou sauce au fromage, nappez un assortiment de légumes à la vapeur avec une sauce aux lentilles, saine et savoureuse (voir page 118).

POUR 4 PERSONNES
1 petit chou-fleur en bouquets
225 g (8 oz) de sommités de brocoli
2 poireaux, en grosses rondelles
225 g (8 oz) de choux de Bruxelles (coupés en deux s'ils sont gros)
sauce de lentilles à la bolognaise

1 Préparez la sauce et réservez-la au chaud.

2 Placez tous les légumes dans un panier de cuisson à la vapeur sur une casserole d'eau bouillante et laissez cuire 8 à 10 minutes, pour qu'ils soient juste tendres.

3 Égouttez et disposez dans un plat de service peu profond. Mettez la sauce sur le dessus avec une cuillère, en mélangeant légèrement. Servez chaud.

Falafels 🍃

À base de pois chiches écrasés, d'herbes et d'épices, les falafels sont des friandises vendues dans la rue au Moyen-Orient, souvent servis enveloppés dans un pain pita chaud, avec un peu de salade.

POUR 8 FALAFELS
425 g (15 oz) de pois chiches en boîte égouttés
1 gousse d'ail écrasée
2 cuillerées à soupe de persil frais haché
2 cuillerées à soupe de coriandre fraîche hachée
1 cuillerée à soupe de menthe fraîche hachée
1 cuillerée à thé de graines de cumin
2 cuillerées à soupe de chapelure fraîche
1 cuillerée à thé de sel
poivre noir fraîchement moulu
huile de friture

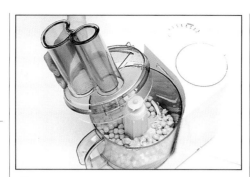

1 Passez les pois chiches au hachoir électrique, puis ajoutez tous les autres ingrédients jusqu'à obtenir une pâte épaisse et crémeuse. Poivrez.

2 Avec les mains humides, façonnez le mélange en huit boulettes et mettez-les au réfrigérateur 30 minutes pour qu'elles deviennent fermes.

3 Pendant ce temps, faites chauffer environ 5 mm (1/4 po) d'huile dans une poêle et faites frire les falafels. Laissez cuire environ 8 minutes, en les retournant délicatement une seule fois.

4 Égouttez les falafels sur du papier absorbant. Servez dans des pains pita chauds, avec de la salade en chiffonnade, des tomates et de la crème de sésame ou du yaourt nature.

LE CONSEIL DU CHEF

Les falafels peuvent être congelés. Laissez-les refroidir, disposez-les sur une grille et mettez-les à découvert au congélateur, jusqu'à ce qu'ils soient durs, avant de les mettre dans un sachet de congélation. Faites les réchauffer à four moyen pendant 10 à 15 minutes.

Riz et haricots à la créole 🍃

Ce plat familial, typique de la cuisine antillaise, est à la fois savoureux et équilibré. Servez-le avec la sauce de cuisson et des rondelles d'aubergines frites.

POUR 4 PERSONNES
225 g (8 oz) de riz long, à cuisson rapide
115 g (4 oz) de haricots rouges secs, trempés et cuits (mais encore fermes)
750 ml (3 2/3 tasses) d'eau
50 g (2 oz) de crème de coco déshydratée
1 cuillerée à thé de thym sec ou 1 cuillerée à soupe de thym frais
1 petit oignon piqué de 6 clous de girofle
sel et poivre noir fraîchement moulu

1 Mettez le riz et les haricots dans une grande casserole avec l'eau, la noix de coco, le thym, l'oignon et l'assaisonnement.

2 Portez à ébullition, en mélangeant jusqu'à ce que la noix de coco fonde, puis couvrez et laissez frémir doucement pendant 20 minutes.

3 Ôtez le couvercle et laissez cuire pendant 5 minutes pour faire réduire le liquide. Retirez du feu et mélangez de temps en temps pour séparer les grains. Le riz doit être assez sec.

Légumes farcis à la grecque 🍃

Beaucoup de légumes sont parfaits pour être préparés avec des farces savoureuses. Ne vous limitez pas à un seul type de légume, mais inspirez-vous de la cuisine grecque en servant un assortiment de ces légumes, accompagnés de yaourt grec, épais et crémeux.

POUR 3 À 6 PERSONNES
1 aubergine moyenne
1 gros poivron vert
2 grosses tomates
1 gros oignon haché
2 gousses d'ail écrasées
3 cuillerées à soupe d'huile d'olive
200 g (7 oz) de riz brun
600 ml (2 1/2 tasses) de bouillon
75 g (3 oz) de pignons
50 g (2 oz) de raisins secs
sel et poivre noir fraîchement moulu
3 cuillerées à soupe d'aneth frais haché
3 cuillerées à soupe de persil frais haché
1 cuillerée à soupe de menthe fraîche hachée
huile d'olive pour arroser légèrement
yaourt grec nature et feuilles d'aneth frais pour servir.

1 Coupez l'aubergine en deux, évidez-la avec un couteau tranchant et hachez finement. Salez l'intérieur et laissez égoutter 20 minutes, chair en bas.

2 Coupez le poivron en deux, épépinez-le et enlevez le cœur. Coupez le haut des tomates, évidez-les et hachez la chair grossièrement, ainsi que les chapeaux.

3 Faites revenir l'oignon, l'ail et l'aubergine dans l'huile 10 minutes. Ajoutez le riz et laissez cuire 2 minutes.

4 Ajoutez la chair des tomates, le bouillon, les pignons, les raisins secs et assaisonnez. Portez à ébullition, couvrez et laissez frémir pendant 15 minutes, puis incorporez les herbes fraîches.

5 Faites blanchir les moitiés d'aubergine et de poivron vert pendant 3 minutes. Faites égoutter à l'envers.

6 Avec une cuillère, garnissez les six « enveloppes » de légumes avec le mélange au riz, et placez-les sur un plat peu profond allant au four légèrement graissé.

7 Faites chauffer le four à 190 °C (375 °F), arrosez les légumes d'huile d'olive et faites-les cuire 25 à 30 minutes. Servez chaud, avec des cuillerées de yaourt nature et des feuilles d'aneth.

Pizza à l'oignon rouge et à la courgette

Grâce à la levure de boulanger, il est facile de réaliser soi-même une pâte à pizza. Vous pouvez ajouter une garniture traditionnelle de fromage et de tomates ou essayer ce mélange original.

POUR 4 PERSONNES
350 g (12 oz) de farine
1 sachet de levure de boulanger
2 cuillerées à thé de sel
eau tiède pour mélanger
POUR LA GARNITURE
2 oignons rouges, finement émincés
4 cuillerées à soupe d'huile d'olive
2 courgettes, finement émincées
sel et poivre noir fraîchement moulu
muscade fraîchement râpée
115 g (4 oz) environ de fromage de chèvre
     mi-sec
6 tomates sèches à l'huile, coupées aux
ciseaux
origan sec
huile d'olive pour arroser

1 Préchauffez le four à 200 °C (400 °F). Mélangez la farine, la levure et le sel, puis ajoutez l'eau tiède pour obtenir une pâte ferme.

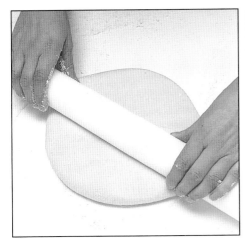

2 Travaillez la pâte 5 minutes environ, jusqu'à ce qu'elle soit lisse et élastique. Étalez-la pour obtenir un grand cercle et placez celui-ci sur une plaque à pâtisserie légèrement graissée.

3 Laissez reposer la base dans un endroit tiède pour qu'elle lève un peu pendant que vous préparez la garniture.

4 Faites revenir doucement les oignons dans la moitié de l'huile pendant 5 minutes, puis ajoutez les courgettes et laissez cuire encore 2 minutes. Assaisonnez et ajoutez la muscade à votre goût.

5 Répartissez le mélange de légumes sautés sur la base de pizza, puis parsemez de fromage, de tomates et d'origan. Arrosez du reste d'huile d'olive et mettez au four 12 à 15 minutes.

Pois germés et pak choi

Les supermarchés proposent des produits de plus en plus cosmopolites ; vous y trouverez du chou pak choi pour préparer ce plat.

POUR 4 PERSONNES
3 cuillerées à soupe d'huile d'arachide
3 oignons nouveaux coupés en biseau
2 gousses d'ail émincées
2,5 cm (1 po) de gingembre frais émincé
1 carotte en bâtonnets fins
150 g (5 oz) de pois germés (lentilles, soja, pois chiches par exemple)
200 g (7 oz) de chou pak choi déchiré
50 g (2 oz) de noix de cajou ou de demi-amandes non salées
POUR LA SAUCE
3 cuillerées à soupe de sauce de soja claire
2 cuillerées à soupe de sherry sec
1 cuillerée à soupe d'huile de sésame
150 ml (2/3 tasse) d'eau
1 cuillerée à thé de farine de maïs
1 cuillerée à thé de miel clair
sel et poivre noir fraîchement moulu

1 Faites chauffer l'huile dans un grand wok et faites revenir les oignons, l'ail, le gingembre et la carotte pendant 2 minutes. Ajoutez les pois germés et laissez cuire 2 minutes encore, en mélangeant.

2 Ajoutez le chou et les noix de cajou ou les amandes, et faites sauter jusqu'à ce que les feuilles de chou soient juste ramollies. Mélangez rapidement tous les ingrédients de la sauce dans un pot, et versez-les dans le wok, en remuant immédiatement.

3 Assaisonnez et servez aussi vite que possible.

Curry de tofu thaï

La cuisine thaïlandaise est un mélange de saveurs des cuisines chinoise et indienne, où se mêlent les parfums d'ingrédients exotiques particuliers.

POUR 4 PERSONNES
400 g (14 oz) de tofu, coupé en dés
2 cuillerées à soupe de sauce de soja claire
2 cuillerées à soupe d'huile d'arachide
POUR LA PÂTE
1 petit oignon haché
2 piments verts frais, épépinés et hachés
2 gousses d'ail hachées
1 cuillerée à thé de gingembre frais râpé
1 cuillerée à thé de zeste de citron vert
2 cuillerées à thé de baies de coriandre écrasées
2 cuillerées à thé de graines de cumin écrasées
3 cuillerées à soupe de coriandre fraîche hachée
1 cuillerée à soupe de sauce de poisson thaï (nam pla) ou de sauce de soja
jus de 1 citron vert
1 cuillerée à thé de sucre
25 g (1 oz) de crème de coco déshydratée, dissoute dans 150 ml (2/3 tasse) d'eau chaude.

1 Jetez les dés de tofu dans la sauce de soja et laissez mariner 15 minutes environ.

2 Mixez tous les ingrédients de la pâte jusqu'à obtenir une pâte lisse.

3 Faites chauffer l'huile dans un wok. Égouttez les dés de tofu et faites-les sauter à température élevée jusqu'à ce qu'ils soient bruns sur toutes les faces et juste fermes. Égouttez sur du papier absorbant.

4 Essuyez le wok. Versez la pâte et mélangez bien. Remettez le tofu dans le wok et mélangez-le à la pâte. Réchauffez les ingrédients en remuant toujours.

5 Servez sur un plat garni de coriandre fraîche et de piment rouge ou de poivron. Ce curry sera parfait accompagné d'un bol de riz parfumé thaïlandais ou de riz au jasmin.

Jalousie des jours de fête

Cette délicieuse tourte est idéale pour un repas de Noël ou de Nouvel An. Une fois trempées et cuites, les châtaignes sèches chinoises remplacent parfaitement les châtaignes fraîches – des châtaignes en boîte, égouttées, conviennent également.

POUR 6 PERSONNES
450 g (1 lb) de pâte feuilletée
450 g (1 lb) de choux de Bruxelles épluchés
16 châtaignes entières environ, pelées si elles sont fraîches
1 gros poivron rouge en rondelles
1 gros oignon émincé
3 cuillerées à soupe d'huile de tournesol
1 jaune d'œuf battu avec 1 cuillerée à soupe d'eau

POUR LA SAUCE
40 g (1 1/2 oz) de farine
40 g (1 1/2 oz) de beurre
300 g (1 1/4 tasse) de lait
75 g (3 oz) de cheddar râpé
2 cuillerées à soupe de sherry sec
1 bonne pincée de sauge sèche
sel et poivre noir fraîchement moulu
3 cuillerées à soupe de persil frais haché

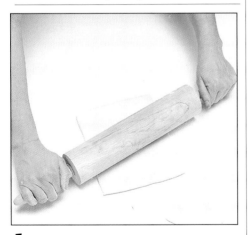

1 Étalez la pâte pour obtenir deux grands rectangles, à peu près de la taille de votre plat. La pâte doit avoir environ 6 mm (1/4 po) d'épaisseur, et l'un des rectangles doit être un peu plus grand que l'autre. Laissez reposer au réfrigérateur.

2 Faites blanchir les choux de Bruxelles 4 minutes dans 300 ml (1 1/4 tasse) d'eau bouillante, puis égouttez et conservez l'eau. Rafraîchissez les choux sous un filet d'eau froide.

3 Coupez chaque châtaigne en deux. Faites légèrement sauter le poivron et l'oignon dans l'huile pendant 5 minutes. Réservez.

4 Faites la sauce en battant ensemble la farine, le beurre et le lait à feu moyen. Battez sans arrêt, en portant à ébullition, et mélangez jusqu'à ce que la sauce ait épaissi et soit lisse.

5 Ajoutez l'eau des choux de Bruxelles et le fromage, le sherry, la sauge et l'assaisonnement. Laissez frémir 3 minutes pour faire réduire, et incorporez le persil.

6 Placez le plus grand morceau de pâte dans votre plat à tarte et disposez en couches successives les choux, les châtaignes et les poivrons, en terminant par les oignons. Versez la sauce.

7 Badigeonnez les bords de la pâte avec l'œuf battu et posez la deuxième feuille de pâte dessus, en appuyant bien sur les bords pour les sceller.

8 Pincez la pâte, repliez les bords puis marquez le centre. Badigeonnez au jaune d'œuf. Laissez reposer au frais. Préchauffez le four à 200 °C (400 °F) et faites cuire 30 à 40 minutes, jusqu'à ce que la pâte soit dorée et croustillante.

Hachis parmentier 🌿

Ne contenant ni viande ni produit laitier, ce plat est une version végétarienne – et végétalienne – d'un grand classique. Cependant, quiconque ayant envie d'un repas nourrissant l'appréciera également !

POUR 6 À 8 PERSONNES
1 kg (2 lb) de pommes de terre
3 cuillerées à soupe d'huile d'olive vierge
sel et poivre noir fraîchement moulu
1 gros oignon haché
1 poivron vert haché
2 carottes, grossièrement râpées
2 gousses d'ail
3 cuillerées à soupe d'huile de tournesol
   ou de margarine
115 g (4 oz) de champignons hachés
800 g (28 oz) de haricots aduki en boîte
   égouttés
600 ml (2 1/2 tasses) de bouillon
1 cuillerée à thé d'extrait de levure
   végétale
2 feuilles de laurier
1 cuillerée à thé d'herbes de Provence
chapelure sèche ou noix hachées

1 Faites bouillir les pommes de terre dans leur peau jusqu'à ce qu'elles soient tendres, puis égouttez en réservant un peu de l'eau de cuisson pour les humecter. (Cuire les pommes de terre dans leur peau permet de les peler plus facilement et de mieux préserver leurs vitamines.)

2 Écrasez bien, en incorporant l'huile d'olive et l'assaisonnement jusqu'à obtenir une purée lisse.

3 Faites doucement revenir l'oignon, le poivron, les carottes et l'ail dans l'huile de tournesol ou la margarine pendant 5 minutes environ, jusqu'à ce qu'ils soient tendres. Préchauffez le gril.

4 Incorporez les champignons et les haricots, et faites cuire encore 2 minutes, puis ajoutez le bouillon, l'extrait de levure, le laurier et les herbes. Laissez frémir 15 minutes.

5 Enlevez le laurier et versez les légumes dans un plat peu profond allant au four. Répartissez les pommes de terre par cuillerées et saupoudrez-les de chapelure ou de noix. Faites griller.

Courges magnifiques

À l'automne, les courges, avec leurs jolies rayures vertes et blanches, permettent de préparer des plats délicieux et bon marché, idéaux pour un déjeuner du dimanche en famille.

POUR 4 À 6 PERSONNES
250 g (8 oz) de coquillettes
1 courge de 1,5 à 1,75 kg (3 à 4 lb)
1 oignon haché
1 poivron épépiné et haché
1 cuillerée à soupe de gingembre frais râpé
2 gousses d'ail écrasées
3 cuillerées à soupe d'huile de tournesol
4 grosses tomates, pelées et hachées
sel et poivre noir fraîchement moulu
50 g (2 oz) de pignons
1 cuillerée à soupe de basilic frais haché
fromage râpé pour servir (facultatif)

1 Préchauffez le four à 190 °C (375 °F). Faites cuire les pâtes conformément aux instructions figurant sur le paquet – dépassez un peu le temps de cuisson pour qu'elles soient légèrement molles. Égouttez et réservez.

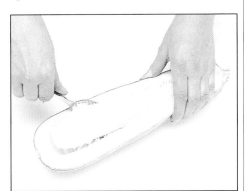

2 Coupez la courge en deux dans le sens de la longueur et éliminez les graines. Utilisez un petit couteau tranchant et une cuillère à soupe pour l'évider ; hachez la chair grossièrement.

3 Faites doucement revenir l'oignon, le poivron, le gingembre et l'ail dans l'huile pendant 5 minutes, puis ajoutez la chair de courge, les tomates et l'assaisonnement. Couvrez et laissez cuire 10 à 12 minutes, jusqu'à ce que les légumes soient tendres.

4 Ajoutez dans la casserole les pâtes, les pignons et le basilic, mélangez bien et réservez.

5 Pendant ce temps, mettez les moitiés de courge dans un plat allant au four, assaisonnez légèrement et versez un peu d'eau autour de la courge en prenant garde de ne pas en mettre dedans. Couvrez avec du papier d'aluminium et mettez au four 15 minutes.

6 Enlevez l'aluminium, jetez l'eau et remplissez les courges du mélange aux légumes. Couvrez à nouveau avec du papier d'aluminium et remettez au four 20 à 25 minutes.

7 Si vous le souhaitez, servez ce plat saupoudré de fromage râpé. Vous pouvez présenter la courge coupée en tronçons ou seulement servir la farce.

Croissants d'épinards à la grecque

Ces petits croissants de pâte à filo, garnis d'une simple farce aux épinards et à la feta, font un plat principal facile à préparer.

POUR 8 PERSONNES
225 g (8 oz) d'épinards frais
2 oignons nouveaux hachés
175 g (6 oz) de feta émiettée
1 œuf battu
1 cuillerée à soupe d'aneth frais haché
poivre noir fraîchement moulu
4 grandes (ou 8 petites) feuilles de filo
huile d'olive pour badigeonner.

LE CONSEIL DU CHEF

Les croissants peuvent être préparés à l'avance et mis au réfrigérateur un jour ou deux, avant d'être cuits et servis chauds. Vous pouvez aussi les congeler à découvert sur une grille, puis les emballer soigneusement dans du papier d'aluminium ou du film plastique et les conserver ainsi un mois au maximum.

1 Préchauffez le four à 190 °C (375 °F). Faites blanchir les épinards dans très peu d'eau jusqu'à ce qu'ils commencent à mollir, puis égouttez-les bien en les pressant dans un chinois.

2 Hachez finement les épinards et mélangez-les aux oignons, à la feta, à l'œuf, à l'aneth et au poivre.

3 Disposez une feuille de pâte à filo et badigeonnez-la d'huile d'olive. Si elle est grande, coupez-la en deux et posez la deuxième moitié dessus, si elle est petite, posez une autre feuille dessus. Badigeonnez d'huile d'olive.

4 Répartissez un quart de la garniture sur un coin de la feuille, puis roulez-la fermement mais pas trop étroitement. Façonnez en croissant et placez sur une plaque à pâtisserie.

5 Badigeonnez bien la pâte d'huile et mettez au four 20 à 25 minutes, jusqu'à ce que la pâte soit dorée et croustillante. Laissez un peu refroidir, puis disposez sur une autre grille.

Paella de légumes

Ce plat de riz espagnol est devenu un succès familial et mondial ! Mille versions de cette recette existent – ici, nous avons choisi de la réaliser avec des aubergines et des pois chiches.

POUR 6 PERSONNES
1 bonne pincée de filaments de safran
1 aubergine en gros morceaux
6 cuillerées à soupe d'huile d'olive
1 gros oignon émincé
3 gousses d'ail écrasées
1 poivron jaune émincé
1 poivron rouge émincé
2 cuillerées à thé de paprika
225 g (8 oz) de riz à risotto
600 ml (2 1/2 tasses) de bouillon
450 g (1 lb) de tomates fraîches pelées et hachées
sel et poivre noir fraîchement moulu
115 g (4 oz) de champignons émincés
115 g (4 oz) de haricots verts en tronçons
400 g (14 oz) de pois chiches en boîte

1 Faites tremper le safran dans 3 cuillerées à soupe d'eau chaude. Saupoudrez l'aubergine de sel, laissez dégorger dans une passoire pendant 30 minutes, puis rincez et séchez.

2 Dans une grande poêle à paella, faites chauffer l'huile et faites revenir l'oignon, l'ail, les poivrons et l'aubergine pendant 5 minutes environ. Saupoudrez de paprika et mélangez.

3 Ajoutez le riz, puis versez le bouillon, les tomates, le safran et l'assaisonnement. Portez à ébullition, puis laissez frémir 15 minutes à découvert, en remuant la poêle fréquemment et en mélangeant.

4 Incorporez les champignons, les haricots verts et les pois chiches (avec le jus). Faites encore cuire 10 minutes, puis servez chaud.

Koulibiac de lentilles vertes

En utilisant de la pâte à filo et des lentilles vertes, vous transformerez ce plat russe traditionnel, normalement préparé avec du poisson et de la pâte à pain, en un plat de résistance végétarien léger et croustillant.

POUR 6 PERSONNES
175 g (6 oz) de lentilles vertes trempées 30 minutes
2 feuilles de laurier
2 oignons émincés
1,2 l (5 tasses) de bouillon
175 g (6 oz) de beurre fondu
225 g (8 oz) de riz long, basmati de préférence
sel et poivre noir fraîchement moulu
4 cuillerées à soupe de persil frais haché
2 cuillerées à soupe d'aneth frais haché
1 œuf battu
225 g (8 oz) de champignons émincés
8 feuilles de filo environ
3 œufs durs coupés en rondelles

1 Égouttez les lentilles, puis faites-les cuire avec le laurier, un oignon et la moitié du bouillon pendant 25 minutes, jusqu'à ce que le mélange soit épais.

VARIANTE

Vous pouvez utiliser une pâte feuilletée végétarienne. Dans ce cas, utilisez deux blocs de pâte, en les posant l'un sur l'autre et en les étalant pour obtenir un grand rectangle. Vous pouvez aussi faire deux koulibiacs. Répartissez la garniture sur les fonds de pâte et scellez bien les bords, en badigeonnant le dessus avec l'œuf battu.

2 Faites revenir l'oignon restant dans une autre casserole avec 2 cuillerées à soupe de beurre pendant 5 minutes. Incorporez le riz, puis le reste de bouillon.

3 Assaisonnez, portez à ébullition, puis couvrez et laissez cuire à feu doux pendant 12 minutes. Laissez reposer à découvert pendant 5 minutes, puis ajoutez les herbes fraîches. Laissez refroidir, puis versez l'œuf battu en fouettant.

4 Faites revenir les champignons dans 3 cuillerées à soupe de beurre pendant 5 minutes. Laissez refroidir et réservez.

5 Badigeonnez de beurre un grand plat peu profond allant au four. Couvrez le fond avec les feuilles de filo. Assurez-vous que l'essentiel de la pâte dépasse des bords. Badigeonnez bien de beurre entre les couches, et faites chevaucher les feuilles de pâte.

6 Dans le fond de pâte, faites alterner, en assaisonnant à chaque fois, des couches de riz, de lentilles et de champignons, en répétant la superposition au moins une fois et en intercalant les rondelles d'œufs.

7 Ramenez les feuilles de pâte sur la garniture, en froissant joliment l'extrémité. Badigeonnez le dessus avec le reste de beurre et mettez au frais pour que le tout devienne ferme.

8 Préchauffez le four à 190 °C (375 °F). Faites cuire le koulibiac 45 minutes environ, jusqu'à ce qu'il soit doré et croustillant. Laissez reposer 10 minutes avant de découper et de servir.

Tourte aux navets et aux pois chiches

Pour réaliser la jolie garniture feuilletée de cette tourte, utilisez un emporte-pièce.

POUR 4 À 6 PERSONNES
1 oignon émincé
2 carottes, en julienne
3 navets moyens en julienne
1 patate douce, en julienne
2 tiges de céleri, finement émincées
3 cuillerées à soupe d'huile de tournesol
1/2 cuillerée à thé de coriandre moulue
1/2 cuillerée à thé d'herbes de Provence
425 g (15 oz) de tomates concassées
400 g (14 oz) de pois chiches en boîte
1 cube de bouillon de légumes
sel et poivre noir fraîchement moulu
POUR LA GARNITURE
225 g (8 oz) de farine à gâteaux
1 cuillerée à thé de levure chimique
50 g (2 oz) de margarine
3 cuillerées à soupe de graines de tournesol
2 cuillerées à soupe de parmesan râpé
150 ml (2/3 tasse) de lait

1 Faites revenir tous les légumes dans l'huile pendant 10 minutes environ, jusqu'à ce qu'ils soient tendres. Ajoutez la coriandre, les herbes, les tomates, les pois chiches avec leur jus et le cube de bouillon. Assaisonnez bien et laissez cuire à frémissement pendant 20 minutes.

2 Mettez les légumes dans une cassolette peu profonde. Préchauffez le four à 190 °C (375 °F).

3 Mélangez la farine et la levure, puis incorporez la margarine jusqu'à obtenir des boulettes. Ajoutez les graines de tournesol et le parmesan. Versez le lait et travaillez pour obtenir une pâte ferme.

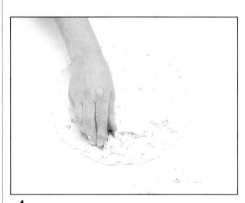

4 Abaissez légèrement la garniture jusqu'à 1 cm (1/2 po), et découpez les formes d'étoiles à l'emporte-pièce, ou faites de simples carrés au couteau.

5 Placez les formes sur le mélange de légumes et badigeonnez avec un peu de lait supplémentaire. Mettez au four 12 à 15 minutes, jusqu'à ce que les étoiles lèvent et soient dorées. Servez chaud avec des légumes verts à feuilles.

Fricassée savoureuse

Ces légumes, agrémentés d'une
sauce savoureuse et légère,
constituent un plat facile
à préparer.

POUR 4 PERSONNES
4 courgettes, en rondelles
115 g (4 oz) de haricots verts, en tronçons
4 grosses tomates, pelées et en rondelles
1 oignon émincé
50 g (2 oz) de beurre
40 g (1 1/2 oz) de farine
2 cuillerées à thé de moutarde à grains
450 ml (2 tasses) de lait
150 ml (2/3 tasse) de yaourt nature
1 cuillerée à thé de thym sec
115 g (4 oz) de fromage affiné râpé
sel et poivre noir fraîchement moulu
4 cuillerées à soupe de chapelure fraîche
    de pain complet (faites-la préalablement
    sauter dans l'huile)

1 Faites blanchir les courgettes et les
haricots dans un peu d'eau bouillante
pendant 5 minutes, puis égouttez et
arrangez sur un plat.

2 Disposez dessus les rondelles de
tomates. Mettez l'oignon dans une
casserole avec le beurre et faites revenir
pendant 5 minutes.

3 Incorporez la farine et la moutarde,
laissez cuire 1 minute, puis ajoutez le
lait progressivement jusqu'à ce que la
sauce ait épaissi. Laissez frémir encore
2 minutes.

4 Retirez la casserole du feu, ajoutez le
yaourt, le thym et le fromage, en
mélangeant jusqu'à ce qu'il ait fondu.
Assaisonnez à votre goût. Réchauffez à
feu doux si vous le souhaitez, mais ne
laissez pas bouillir la sauce pour éviter
les grumeaux.

5 Versez la sauce sur les légumes et
saupoudrez de chapelure. Passez sous
un gril préchauffé jusqu'à ce que le
dessus soit doré et croustillant, en
prenant garde de ne pas laisser brûler la
chapelure. Garnissez avec les rondelles
de tomate réservées.

Chili con queso

Ce savoureux plat mexicain traditionnel se prépare avec des haricots rouges. Pour plus de saveur, utilisez du fromage fumé et servez avec du riz. L'epazote est une herbe mexicaine que l'on trouve dans les épiceries fines.

POUR 4 PERSONNES
225 g (8 oz) de haricots rouges, trempés et égouttés
3 cuillerées à soupe d'huile de tournesol
1 oignon haché
1 poivron rouge en julienne
2 gousses d'ail écrasées
1 piment rouge frais haché (facultatif)
1 cuillerée à soupe de piment en poudre
1 cuillerée à thé de cumin moulu
1 l (4 tasses) de bouillon ou d'eau
1 cuillerée à thé de feuilles d'epazote sèches émiettées (facultatif)
sel et poivre noir fraîchement moulu
15 g (1/2 oz) de sucre cristallisé
115 g (4 oz) de fromage en dés

1 Rincez les haricots. Dans une grande casserole, faites chauffer l'huile et faites doucement revenir l'oignon, le poivron, l'ail et le piment frais pendant 5 minutes environ.

2 Incorporez les épices et laissez cuire encore 1 minute, puis ajoutez les haricots, le bouillon ou l'eau, éventuellement l'epazote et un tour de moulin à poivre. Ne salez pas à ce stade.

3 Faites bouillir 10 minutes, couvrez et réduisez le feu jusqu'à frémissement. Laissez cuire 50 minutes environ, en rajoutant de l'eau si nécessaire.

4 Une fois que les haricots sont tendres, salez bien. Prélevez environ un quart du mélange et réduisez-le en purée dans un moulin à légumes ou un robot ménager.

5 Remettez la purée dans la casserole et mélangez bien. Ajoutez le sucre et servez chaud, saupoudré de fromage. Ce plat est délicieux avec un riz long cuit à grande eau.

Orge et pain fromagé

L'orge semble oubliée de la mode culinaire de ces dernières années ; sa texture de noix en fait pourtant une délicieuse céréale. Servez ce plat avec du pain grillé et recouvert de fromage.

POUR 6 PERSONNES
1 oignon rouge émincé
1/2 bulbe de fenouil émincé
12 carottes, en bâtonnets
1 panais en rondelles
3 cuillerées à soupe d'huile de tournesol
115 g (4 oz) d'orge perlée
1 l (4 tasses) de bouillon
1 cuillerée à thé de thym sec
persil frais haché pour garnir
sel et poivre noir fraîchement moulu
115 g (4 oz) de haricots verts en tronçons
425 g (15 oz) de haricots pinto en boîte égouttés
POUR LES CROÛTONS
1 baguette coupée en tranches
huile d'olive pour badigeonner
1 gousse d'ail coupée en deux
4 cuillerées à soupe de parmesan râpé

1 Dans une grande casserole, faites sauter à feu doux l'oignon, le fenouil, les carottes et le panais dans l'huile pendant 10 minutes.

2 Ajoutez l'orge et le bouillon. Portez à ébullition, ajoutez les herbes et l'assaisonnement, puis couvrez et laissez frémir pendant 40 minutes.

3 Ajoutez les haricots verts et les haricots pinto et poursuivez la cuisson, à couvert, pendant 20 minutes encore.

4 Pendant ce temps, préchauffez le four à 190 °C (375 °F). Badigeonnez les tranches de baguette d'huile d'olive, et placez-les sur une plaque à pâtisserie.

5 Laissez cuire environ 15 minutes, jusqu'à ce qu'elles soient dorées. Retirez du four et frottez rapidement chaque tranche avec l'ail. Saupoudrez de fromage et remettez au four jusqu'à ce qu'il soit fondu.

6 Disposez l'orge dans des bols chauds et servez saupoudré de persil et accompagné du pain fromagé. Ce plat se mange de préférence à la cuillère.

Julienne de légumes au coulis de poivrons rouges

Ce plat est idéal pour ceux qui surveillent leur poids ! Choisissez autant de légumes différents que vous souhaitez, coupez-les en bâtonnets réguliers et faites les cuire à la vapeur au-dessus d'une eau bouillante aromatisée.

POUR 2 PERSONNES
assortiment de légumes – choisissez parmi :
   carottes, navets, asperges, panais,
   courgettes, haricots verts, brocoli,
   salsifis, chou-fleur, haricots mange-tout
POUR LE COULIS DE POIVRONS ROUGES
1 petit oignon haché
1 gousse d'ail écrasée
1 cuillerée à soupe d'huile de tournesol
1 cuillerée à soupe d'eau
3 poivrons rouges grillés, pelés et hachés
8 cuillerées à soupe de fromage frais
un peu de jus de citron frais
sel et poivre noir fraîchement moulu
tiges de thym frais
2 feuilles de laurier
herbes fraîches pour garnir

1 Préparez les légumes en les coupant en bâtonnets étroits ou en petites bouchées.

2 Pour le coulis, faites sauter légèrement l'oignon et l'ail dans l'huile et l'eau pendant 3 minutes, puis ajoutez les poivrons et laissez cuire encore 2 minutes.

3 Passez le coulis au robot ménager, puis incorporez le fromage frais, le jus de citron et l'assaisonnement.

4 Faites bouillir de l'eau salée avec le thym frais et les feuilles de laurier, et adaptez dessus un panier de cuisson à la vapeur.

5 Disposez les tubercules, plus longs à cuire, dans le panier de cuisson et laissez-les cuire pendant 3 minutes environ.

6 Ajoutez les autres légumes dans l'ordre de leur tendreté naturelle, et laissez cuire encore 2 à 4 minutes.

7 Servez les légumes sur des assiettes, avec la sauce à côté. Garnissez d'herbes fraîches si vous le souhaitez.

VARIANTE

Le coulis de poivrons rouges est une sauce excellente convenant à bien d'autres plats. Essayez-le sur des pâtes fraîches, des crêpes farcies, ou avec des courgettes frites ou cuites à la vapeur.

Pilaf aux pistaches et couronne d'épinards

Le safran et le gingembre sont des épices traditionnellement utilisées pour assaisonner le riz. Ce plat léger sera délicieux accompagné d'une simple salade de tomates.

POUR 4 PERSONNES
3 oignons
4 cuillerées à soupe d'huile d'olive
2 gousses d'ail écrasées
2,5 cm (1 po) de gingembre frais râpé
1 piment vert frais haché
2 carottes, grossièrement râpées
225 g (8 oz) de riz basmati rincé
1/4 cuillerée à thé de filaments de safran écrasés
450 ml (2 tasses) de bouillon
1 bâton de cannelle
1 cuillerée à thé de coriandre moulue
sel et poivre noir fraîchement moulu
75 g (3 oz) de pistaches fraîches
450 g (1 lb) d'épinards frais
1 cuillerée à thé de poudre de garam masala

1 Hachez grossièrement 2 oignons. Faites chauffer la moitié de l'huile dans une grande casserole et faites revenir les oignons avec une gousse d'ail, le gingembre et le piment, pendant 5 minutes.

2 Incorporez les carottes et le riz, laissez cuire 1 minute puis ajoutez le safran, le bouillon, la cannelle et la coriandre. Assaisonnez bien. Portez à ébullition, puis couvrez et laissez mijoter 10 minutes sans découvrir.

3 Retirez du feu et laissez reposer à découvert pendant 5 minutes. Ajoutez les pistaches en les mélangeant au riz avec une fourchette. Retirez le bâton de cannelle et gardez le riz au chaud.

4 Émincez finement l'oignon restant et faites-le revenir dans l'huile pendant 3 minutes environ. Ajoutez les épinards. Couvrez et laissez cuire encore 2 minutes.

5 Ajoutez la poudre de garam masala. Laissez cuire, puis égouttez-les et hachez-les grossièrement.

6 Disposez les épinards sur le pourtour d'un plat, et ajoutez le pilaf au centre. Servez.

Pudding de pain aux épinards

Ce pudding sera bien plus léger si vous utilisez du pain italien ciabatta ou, à défaut, une baguette.

POUR 4 À 6 PERSONNES
400 g (14 oz) d'épinards frais
1 miche de pain ciabatta finement émincée
50 g (2 oz) de beurre mou ou de pâte à tartiner allégée, ou 4 cuillerées à soupe d'huile d'olive
1 oignon rouge finement émincé
115 g (4 oz) de champignons émincés
2 cuillerées à soupe d'huile d'olive
1 cuillerée à thé de graines de cumin
sel et poivre noir fraîchement moulu
115 g (4 oz) de gruyère ou de gouda râpé
3 œufs
500 ml (2 1/4 tasses) de lait
muscade fraîchement râpée

1 Rincez bien les épinards et faites-les blanchir dans très peu d'eau pendant 2 minutes. Égouttez bien, pressez pour éliminer toute l'eau, hachez grossièrement.

2 Tartinez les tranches de pain avec très peu de beurre, de pâte allégée ou d'huile. Graissez un grand plat peu profond allant au four et tapissez le fond et les côtés avec le pain.

3 Faites revenir l'oignon et les champignons dans l'huile pendant 5 minutes, puis ajoutez les graines de cumin et les épinards. Assaisonnez bien.

4 Disposez des couches du mélange aux épinards en intercalant avec le reste de pain et la moitié du fromage. Pour le dessus, mélangez tout ensemble et saupoudrez avec le fromage restant.

5 Battez les œufs avec le lait et ajoutez sel, poivre et muscade à votre goût. Versez doucement ce mélange dans le plat et faites reposer une bonne heure pour laisser le pain absorber le flan.

6 Préchauffez le four à 190 °C (375 °F). Mettez le plat dans un bain-marie. Laissez cuire 40 à 45 minutes, jusqu'à ce que le pudding ait levé et soit doré et croustillant.

Tourte de panais au curry

La saveur des panais, douce et crémeuse, est rehaussée par celles du curry et du fromage.

POUR 4 PERSONNES
POUR LA PÂTE
115 g (4 oz) de beurre ou de margarine
225 g (8 oz) de farine
sel et poivre noir fraîchement moulu
1 cuillerée à thé de thym ou d'origan sec
eau pour mélanger
POUR LA GARNITURE
8 oignons grelots ou échalotes, pelés
2 gros panais, finement émincés
2 carottes, en fines rondelles
25 g (1 oz) de beurre ou de margarine
2 cuillerées à soupe de farine
1 cuillerée à soupe de curry doux ou de
   pâte à tikka
300 ml (1 1/4 tasse) de lait
115 g (4 oz) de fromage affiné râpé
sel et poivre noir fraîchement moulu
3 cuillerées à soupe de coriandre ou de
   persil frais haché
1 jaune d'œuf battu avec 2 cuillerées à
   thé d'eau

1 Préparez la pâte en incorporant le beurre ou la margarine dans la farine jusqu'à ce que le mélange ait l'aspect de petites boulettes. Assaisonnez et ajoutez le thym ou l'origan, puis ajoutez de l'eau pour obtenir une pâte ferme.

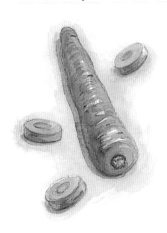

2 Faites blanchir les oignons ou les échalotes, les panais et les carottes dans l'eau, pendant 5 minutes environ. Égouttez en réservant environ 300 ml (1 1/4 tasse) du liquide.

3 Dans une casserole, faites fondre le beurre ou la margarine, et ajoutez le curry ou la pâte à tikka pour obtenir un roux. Incorporez petit à petit le bouillon réservé et le lait. Laissez frémir 1 ou 2 minutes.

4 Retirez la casserole du feu, incorporez le fromage et l'assaisonnement, puis versez les légumes et la coriandre ou le persil.

LE CONSEIL DU CHEF

Cette tourte se congèle très bien quand elle est crue. Laissez-la à découvert jusqu'à ce qu'elle soit solide, puis emballez-la dans un sac à congélation bien fermé (un mois au maximum).
Le chou-fleur, le brocoli ou tout autre légume peut être ajouté à la garniture pour varier les saveurs et textures.

5 Versez dans une tourtière, placez un puits à tourte et laissez refroidir.

6 Étalez la pâte jusqu'à obtenir un disque assez grand pour recouvrir le haut de la tourtière. Faites de longues bandes avec les chutes.

7 Badigeonnez de jaune d'œuf les bords de la pâte et posez dessus les bandes de pâte. Badigeonnez encore.

8 Avec le rouleau à pâtisserie, soulevez la pâte étalée et disposez-la sur le dessus de la tourte, en tenant compte du puits et en appuyant bien sur les bandelettes en dessous.

9 Coupez la pâte qui dépasse et crantez les bords. Coupez un trou pour le puits, badigeonnez le dessus avec le reste de jaune d'œuf et faites des décorations avec les chutes – badigeonnez-les aussi.

10 Placez la tourtière sur une plaque à pâtisserie et mettez au réfrigérateur 30 minutes pendant que vous préchauffez le four à 200 ˚C (400 ˚F). Faites cuire 25 à 30 minutes.

Légumes sous une croûte crémeuse et légère

Les saveurs subtiles du poireau, des courgettes et des champignons sont rehaussées d'un savoureux nappage de fromage frais, de fromage et de chapelure.

POUR 4 PERSONNES
2 poireaux, finement émincés
3 courgettes, en grosses rondelles
350 g (12 oz) de champignons émincés,
   dont des champignons parfumés chinois
2 gousses d'ail écrasées
2 cuillerées à soupe d'huile d'olive
25 g (1 oz) de beurre
1 cuillerée à soupe de farine
300 ml (1 1/4 tasse) de bouillon
1 cuillerée à thé de thym sec
sel et poivre fraîchement moulu
2 cuillerées à soupe de fromage frais
POUR LE NAPPAGE
450 g (1 lb) de fromage frais
25 g (1 oz) de beurre fondu
3 œufs battus
sel et poivre noir fraîchement moulu
muscade fraîchement râpée
fromage fraîchement râpé et chapelure
sèche pour saupoudrer

1 Préchauffez le four à 190 °C (375 °F). Dans une casserole, faites revenir à feu doux les poireaux, les courgettes, les champignons et l'ail dans l'huile et le beurre pendant 7 minutes environ, en mélangeant de temps en temps, jusqu'à ce que les légumes soient juste tendres.

2 Incorporez la farine en remuant, puis versez progressivement le bouillon. Portez à ébullition en mélangeant. Ajoutez le thym et assaisonnez. Retirez du feu et incorporez le fromage frais. Versez le mélange dans un plat.

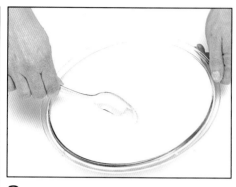

3 Fouettez les ingrédients du nappage, en les assaisonnant bien et en ajoutant de la muscade à votre goût. Déposez le mélange à la cuillère sur les légumes et saupoudrez de fromage et de chapelure.

4 Mettez au four 30 minutes environ jusqu'à ce qu'une croûte dorée et ferme se forme. Servez chaud avec des pâtes ou du pain de campagne.

Pommes de terre et panais amandine

Cette recette remplace de façon originale les pommes de terre en robe des champs : des enveloppes de pommes de terre cuites au four sont garnies d'un mélange de panais épicés et d'amandes croquantes.

POUR 4 PERSONNES
4 grosses pommes de terre, badigeonnées
   d'huile d'olive
225 g (8 oz) de panais en dés
25 g (1 oz) de beurre
1 cuillerée à thé de graines de cumin
1 cuillerée à thé de coriandre moulue
2 cuillerées à soupe de crème fleurette ou
   de yaourt nature
sel et poivre noir fraîchement moulu
115 g (4 oz) de gruyère râpé
1 œuf battu
50 g (2 oz) d'amandes effilées

1 Entaillez les pommes de terre, puis mettez-les au four, préchauffé à 200 °C (400 °F), pendant 1 heure environ.

2 Pendant ce temps, faites bouillir les panais, égouttez bien, réduisez en purée et mélangez avec le beurre, les épices et la crème ou le yaourt nature.

3 Coupez les pommes de terre cuites en deux, évidez-les et réduisez la chair en purée, puis mélangez-la aux panais. Assaisonnez bien.

4 Incorporez le fromage, l'œuf et trois quarts des amandes. Remplissez les moitiés de pommes de terre évidées avec le mélange et saupoudrez avec le restant des amandes.

5 Remettez au four 15 à 20 minutes, jusqu'à ce que le mélange soit doré et qu'il ait un peu pris. Servez chaud accompagné d'une salade.

Splendeur d'automne

Les saveurs des pâtes et du potiron s'accordent à merveille dans ce plat. Pour le servir, utilisez le potiron évidé dont la couleur chaude et orangée est idéale pour présenter un plat d'automne.

POUR 4 PERSONNES
1 potiron de 2 kg (4 lb)
1 oignon émincé
2,5 cm (1 po) de gingembre frais
3 cuillerées à soupe d'huile d'olive vierge extra
1 courgette en rondelles
115 g (4 oz) de champignons émincés
400 g (14 oz) de tomates concassées en boîte
75 g (3 oz) de pâtes en forme de coquillages
450 ml (2 tasses) de bouillon
sel et poivre noir fraîchement moulu
4 cuillerées à soupe de fromage frais
2 cuillerées à soupe de basilic frais haché

1 Préchauffez le four à 180 °C (350 °F). Coupez un couvercle dans le potiron avec un gros couteau tranchant. Évidez et jetez les graines.

2 Avec un petit couteau tranchant et une cuillère de table bien solide, sortez autant de chair que possible, puis coupez-la en gros morceaux.

3 Mettez le potiron (avec son couvercle) au four pendant 45 à 60 minutes, jusqu'à ce que l'intérieur commence à ramollir.

4 Pendant ce temps, préparez la garniture. Faites doucement revenir l'oignon, le gingembre et la chair de potiron dans l'huile d'olive pendant 10 minutes environ, en remuant de temps en temps.

5 Ajoutez la courgette et les champignons et faites cuire 3 minutes, incorporez les tomates, les pâtes et le bouillon. Assaisonnez, portez à ébullition, couvrez et laissez frémir 10 minutes.

6 Incorporez le fromage frais et le basilic et déposez le mélange dans le potiron – si celui-ci ne contient pas toute la garniture, servez le reste à part.

Pain de lentilles et de noix des jours de fête

Ce pain s'accordera avec beaucoup d'assortiments, notamment avec la sauce végétarienne (voir ci-dessous). Garnissez-le d'airelles fraîches pour lui donner un air de fête.

POUR 6 À 8 PERSONNES
115 g (4 oz) de lentilles rouges
115 g (4 oz) de noisettes
115 g (4 oz) de noix
1 grosse carotte
2 tiges de céleri
1 gros oignon
115 g (4 oz) de champignons
50 g (2 oz) de beurre
2 cuillerées à thé de curry doux en poudre
2 cuillerées à soupe de ketchup
2 cuillerées à soupe de sauce Worcestershire
1 œuf battu
2 cuillerées à thé de sel
4 cuillerées à soupe de persil frais haché
150 ml (2/3 tasse) d'eau

1 Faites tremper les lentilles pendant 1 heure dans de l'eau froide, puis égouttez bien. Moulez les noix dans un hachoir électrique jusqu'à ce qu'elles soient assez fines mais pas trop uniformes. Réservez.

2 Coupez la carotte, le céleri, l'oignon et les champignons en petits morceaux, puis hachez-les finement.

3 Faites revenir les légumes au beurre 5 minutes, puis incorporez le curry et laissez cuire 1 minute. Laissez refroidir.

4 Mélangez les lentilles trempées avec les noix, les légumes, le ketchup, la sauce Worcestershire, l'œuf, le sel, le persil et l'eau.

5 Graissez et recouvrez le fond et les côtés d'un long moule à cake avec du papier sulfurisé. Pressez le mélange dans le moule. Préchauffez le four à 190 °C (375 °F).

6 Mettez au four 1 heure à 1 h 15, jusqu'à ce que le pain soit juste ferme, en couvrant le dessus d'un papier beurré ou d'un morceau d'aluminium s'il commence à brûler.

7 Laissez reposer pendant 15 minutes environ avant de démouler et retirez le papier. Le pain sera assez souple quand vous le couperez, comme une miche de pain humide.

Sauce végétarienne

Cette sauce peut remplacer une sauce à base de jus de viande. Préparez-la en grande quantité et congelez-la en petits pots prêts à réchauffer et à servir.

POUR ENVIRON 1 L (4 TASSES)
1 gros oignon rouge émincé
3 navets émincés
3 tiges de céleri en tranches
115 g (4 oz) de champignons coupés en deux
6 cuillerées à soupe d'huile de tournesol
1,5 l (6 tasses) de bouillon de légumes ou d'eau
3 cuillerées à soupe de sauce de soja
1 bonne pincée de sucre cristallisé
sel et poivre noir fraîchement moulu

1 Dans une grande casserole, faites cuire les légumes et l'ail à feu modéré avec l'huile, en mélangeant de temps en temps, pendant 15 à 20 minutes, jusqu'à ce qu'ils soient bien brunis mais pas roussis.

2 Ajoutez le bouillon ou l'eau et la sauce de soja, portez à ébullition puis couvrez et laissez frémir 20 minutes.

3 Faites réduire les légumes en purée, en ajoutant un peu de bouillon, et remettez-les dans la casserole en pressant la pulpe dans un chinois avec le dos d'une cuillère en bois.

4 Goûtez et rectifiez l'assaisonnement. Ajoutez le sucre. Congelez au moins la moitié de la sauce pour l'utiliser plus tard, et réchauffez le reste pour servir avec le pain aux lentilles et aux noix.

Raviolis maison

C'est un plaisir de préparer soi-même des pâtes fraîches, et vous serez sans doute surpris de la facilité avec laquelle se garnissent et se façonnent ces raviolis. Prévoyez un peu de temps supplémentaire si vous utilisez de la pâte toute faite ou sèche. Un mélangeur électrique facilite le pétrissage et une machine à abaisser la pâte aide à obtenir une feuille régulière.

POUR 6 PERSONNES
200 g (7 oz) de farine
1/2 cuillerée à thé de sel
1 cuillerée à soupe d'huile d'olive
2 œufs battus
POUR LA GARNITURE
1 petit oignon rouge finement haché
1 petit poivron vert finement haché
1 carotte grossièrement râpée
1 cuillerée à soupe d'huile d'olive
50 g (2 oz) de noix hachées
115 g (4 oz) de ricotta
2 cuillerées à soupe de parmesan ou de pecorino frais râpé
1 cuillerée à soupe de marjolaine ou de basilic frais hachés
sel et poivre noir fraîchement moulu
huile ou beurre fondu pour servir

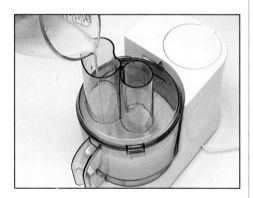

1 Tamisez la farine et le sel dans un robot ménager. En laissant celui-ci en marche, versez l'huile et les œufs et mélangez pour obtenir une pâte ferme mais lisse.

2 Si possible, laissez tourner le robot pendant 1 minute au moins – sinon, sortez la pâte et travaillez-la à la main pendant 5 minutes.

3 Si vous utilisez une machine à pâtes, détachez des petites boulettes de pâte puis faites-les passer entre les rouleaux plusieurs fois, selon les instructions du fabricant.

4 Si vous étalez la pâte à la main, divisez-la en deux et étalez-la sur une surface légèrement farinée jusqu'à une épaisseur de 6 mm (1/4 po) environ.

5 Pliez la pâte en trois et étalez à nouveau. Répétez l'opération, six fois si nécessaire, jusqu'à ce que la pâte soit lisse et ne colle plus. Faites une abaisse légèrement plus fine à chaque fois.

6 Laissez la pâte étalée sous un torchon propre et sec pendant que vous préparez la garniture. Essayez d'avoir un nombre pair de feuilles de pâte, toutes de la même taille si vous les avez étalées à la machine.

7 Faites revenir l'oignon, le poivron et la carotte dans l'huile pendant 5 minutes, puis laissez refroidir. Mélangez avec les noix, les fromages, les herbes et l'assaisonnement.

8 Déposez une abaisse de pâte à plat et placez régulièrement de petites cuillerées de garniture. Badigeonnez entre les petits tas avec un peu d'eau puis placez une autre abaisse de pâte dessus.

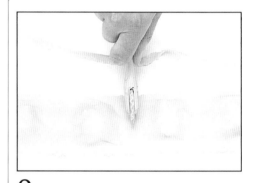

9 Appuyez bien entre les petits tas de garniture, puis avec une roulette à pâtisserie ou à raviolis, découpez en carrés. Si les bords s'ouvrent, appuyez un peu avec les doigts.

10 Laissez sécher les raviolis au réfrigérateur, puis faites-les bouillir dans une grande quantité d'eau légèrement salée pendant 5 minutes seulement.

11 Faites sauter les raviolis cuits dans un peu d'huile ou de beurre fondu avant de servir avec une sauce tomate maison ou avec du fromage.

Chaussons feuilletés aux champignons

Pour réaliser cette recette, choisissez plutôt des champignons noisette ou bruns – leur saveur est idéale pour ces délicieux feuilletés.

POUR 8 CHAUSSONS
450 g (1 lb) de pâte feuilletée surgelée
   (2 blocs)
1 œuf battu
POUR LA GARNITURE
1 oignon haché
1 carotte grossièrement râpée
1 pomme de terre grossièrement râpée
3 cuillerées à soupe d'huile de tournesol
225 g (8 oz) de champignons émincés
2 cuillerées à soupe de sauce de soja
1 cuillerée à soupe de ketchup
1 cuillerée à soupe de sherry sec (facultatif)
1 bonne pincée de thym sec
sel et poivre noir fraîchement moulu

1 Étalez les blocs de pâte jusqu'à une épaisseur de 6 mm (1/4 po), et coupez chaque bloc en quatre carrés de 15 cm (6 po) de côté. Réservez un peu de pâte pour le décor. Couvrez les carrés et les chutes, et laissez reposer au frais.

2 Faites revenir doucement l'oignon, la carotte et la pomme de terre dans l'huile pendant 5 minutes, puis ajoutez les champignons, la sauce de soja, le ketchup, éventuellement le sherry, le thym et l'assaisonnement.

3 Faites cuire, en mélangeant de temps en temps, jusqu'à ce que les champignons et les légumes soient assez tendres. Laissez refroidir.

4 Répartissez la garniture entre les huit carrés de pâte, en la plaçant sur un côté de la diagonale. Badigeonnez les bords de la pâte avec de l'œuf, puis repliez en triangles et appuyez bien pour sceller. Dans les chutes de pâte, découpez des petites formes pour décorer.

5 Crantez le bord de chaque chausson et posez dessus les formes découpées. Déposez sur deux plaques à pâtisserie. Préchauffez le four à 200 ˚C (400 ˚F) et pendant ce temps laissez reposer les chaussons au frais.

6 Glacez les chaussons à l'œuf battu, puis mettez au four 15 à 20 minutes, jusqu'à ce qu'ils soient dorés et croustillants.

Cassolette d'hiver et boulettes aux herbes

Quand le froid s'installe, réunissez un bel assortiment de légumes et préparez cette cassolette enrichie de quelques boulettes cuisinées à l'ancienne.

POUR 6 PERSONNES
2 pommes de terre
2 carottes
1 petit bulbe de fenouil
1 petit rutabaga
1 poireau
2 courgettes
50 g (2 oz) de beurre ou de margarine
2 cuillerées à soupe de farine
425 g (15 oz) de haricots blancs en boîte avec leur jus
600 ml (2 1/2 tasses) de bouillon
2 cuillerées à soupe de purée de tomates
1 bâton de cannelle
2 cuillerées à thé de coriandre moulue
1/2 cuillerée à thé de gingembre moulu
2 feuilles de laurier
sel et poivre noir fraîchement moulu
POUR LES BOULETTES
200 g (7 oz) de farine
115 g (4 oz) de graisse végétale raclée ou de beurre froid râpé
1 cuillerée à thé de thym sec
1 cuillerée à thé de sel
120 ml (4 oz) de lait

1 Découpez les légumes frais en morceaux réguliers, puis faites-les revenir doucement avec le beurre ou la margarine pendant 10 minutes environ.

2 Incorporez la farine, puis le jus des haricots, le bouillon, la purée de tomates, les épices, le laurier et l'assaisonnement. Portez à ébullition en remuant.

3 Couvrez et laissez frémir 10 minutes, puis ajoutez les haricots et laissez cuire 5 minutes encore.

4 Préparez les boulettes en mélangeant la farine, la graisse végétale ou le beurre, le thym et le sel avec le lait pour former une pâte ferme mais humide. Travaillez jusqu'à ce qu'elle soit lisse.

VARIANTE

Vous pouvez aussi préparer des boulettes avec des noix hachées et du parmesan râpé ou des fines herbes. Hachez finement les ingrédients et incorporez-les à la farine.

5 Divisez la pâte en douze morceaux et façonnez-les en boulettes entre vos doigts. Ajoutez les boulettes au ragoût en laissant de l'espace entre elles pour qu'elles puissent gonfler.

6 Recouvrez et laissez frémir doucement 15 minutes encore. Ne découvrez pas – toute la vapeur sortirait – et ne faites pas cuire les boulettes trop vite – elles risqueraient d'éclater. Enlevez le bâton de cannelle et le laurier avant de servir ce plat bouillant.

Roulés de lasagnes

Ainsi présentées, ces lasagnes sont plus élégantes que des lasagnes ordinaires – et tout aussi savoureuses et appréciées ! La pâte doit être à peine cuite afin d'être encore assez molle pour être roulée.

POUR 4 PERSONNES
8 à 10 feuilles de lasagnes
sauce de lentilles à la bolognaise (voir ci-dessous)
225 g (8 oz) d'épinards frais
115 g (4 oz) de champignons émincés
115 g (4 oz) de mozzarelle finement émincée
POUR LA SAUCE BÉCHAMEL
40 g (1 1/2 oz) de farine
40 g (1 1/2 oz) de beurre ou de margarine
600 ml (2 1/2 tasses de lait)
1 feuille de laurier
sel et poivre noir fraîchement moulu
muscade fraîchement râpée
parmesan ou pecorino fraîchement râpé pour servir

1 Faites cuire les feuilles de lasagnes conformément aux instructions figurant sur le paquet, pendant 10 minutes environ. Égouttez et laissez refroidir.

2 Faites cuire les épinards dans très peu d'eau pendant 2 minutes, puis ajoutez les champignons émincés et laissez cuire encore 2 minutes. Égouttez bien, en pressant tout le jus restant, puis hachez grossièrement.

3 Mettez tous les ingrédients de la béchamel dans une casserole et portez doucement à ébullition, en mélangeant sans arrêt jusqu'à ce que la sauce soit épaisse et lisse. Laissez frémir 2 minutes avec le laurier, puis assaisonnez bien et incorporez la muscade à votre goût.

VARIANTE

Les garnitures de cette recette peuvent bien sûr être modifiées selon votre imagination. L'une de mes versions préférées est un mélange légèrement frit de légumes colorés – poivrons, courgettes, aubergines et champignons – nappé, comme ici, d'une béchamel fromagée ou d'une sauce aux tomates fraîches.

4 Posez les feuilles de pâte et étalez la bolognaise, le mélange d'épinards et de champignons et la mozzarelle. Roulez chaque feuille et placez-la dans un plat peu profond allant au four.

5 Enlevez le laurier de la béchamel et versez celle-ci sur les pâtes. Saupoudrez de fromage et faites dorer sous un gril chaud.

Sauce de lentilles à la bolognaise

Cette sauce est idéale pour servir avec des pâtes, des lasagnes, en garniture de crêpes ou avec un simple plat de légumes. Elle vous sera vite indispensable !

POUR 6 PERSONNES
1 oignon haché
2 gousses d'ail écrasées
2 carottes, grossièrement râpées
2 tiges de céleri hachées
3 cuillerées à soupe d'huile d'olive
115 g (4 oz) de lentilles rouges
400 g (14 oz) de tomates concassées en boîte
2 cuillerées à soupe de purée de tomates
450 ml (2 tasses) de bouillon
1 cuillerée à soupe de marjolaine fraîche hachée ou 1 cuillerée à thé de marjolaine sèche
sel et poivre noir fraîchement moulu

1 Dans une grande casserole, faites revenir doucement l'oignon, l'ail, les carottes et le céleri dans l'huile pendant environ 5 minutes, jusqu'à ce que le tout soit tendre.

2 Ajoutez les lentilles, les tomates, la purée de tomates, le bouillon, la marjolaine, et assaisonnez.

3 Portez à ébullition, couvrez partiellement et laissez frémir 20 minutes jusqu'à ce que la sauce soit épaisse.

Crêpes aux artichauts et aux poireaux

Ces fines crêpes, garnies avec un délicieux soufflé d'artichauts de Jérusalem et de poireaux, constituent un plat principal très original.

POUR 4 PERSONNES
115 g (4 oz) de farine
1 pincée de sel
1 œuf
300 ml (1 1/4 tasse) de lait
huile pour badigeonner
POUR LA GARNITURE SOUFFLÉE
450g (1 lb) d'artichauts de Jérusalem pelés et coupés en dés
1 gros poireau finement émincé
50 g (2 oz) de beurre
2 cuillerées à soupe de farine à gâteau (avec levure)
2 cuillerées à soupe de crème fraîche
75 g (3 oz) de cheddar affiné râpé
2 cuillerées à soupe de persil frais haché muscade fraîchement râpée
2 œufs, blancs et jaunes séparés
sel et poivre noir fraîchement moulu

1 Préparez la pâte à crêpes dans un robot ménager, en mélangeant la farine, le sel, l'œuf et le lait en une pâte lisse.

2 Dans une poêle de 20 cm (8 po) de diamètre environ, faites une série de crêpes fines. Vous aurez besoin d'une louche de pâte environ pour chaque crêpe.

3 Empilez les crêpes sous un torchon propre. Réservez huit crêpes pour cette recette et congelez le reste.

4 Faites cuire les artichauts et le poireau avec le beurre dans une casserole couverte à feu moyen pendant environ 12 minutes jusqu'à ce qu'ils soient très tendres. Écrasez avec le dos d'une cuillère en bois. Assaisonnez bien.

5 Mélangez la farine aux légumes et laissez cuire 1 minute. Retirez du feu et incorporez la crème, le fromage, le persil et la muscade à votre goût. Laissez refroidir, puis ajoutez les jaunes d'œufs.

6 Montez les blancs d'œufs en neige jusqu'à ce qu'ils forment des crêtes et incorporez-les délicatement au mélange.

7 Graissez légèrement un petit plat allant au four et préchauffez le four à 190 °C (375 °F). Pliez chaque crêpe en quatre, maintenez le haut ouvert et déposez la garniture au centre.

8 Disposez les crêpes sur le plat, avec la garniture vers le haut si possible. Mettez au four 15 minutes environ, jusqu'à ce que la garniture ait levé et soit dorée. Mangez aussitôt.

LE CONSEIL DU CHEF

Assurez-vous que la poêle soit à une température régulière et suffisante avant de verser la pâte à crêpes. Celle-ci doit grésiller au contact de la poêle. Répartissez la pâte en un mouvement circulaire pour tapisser la poêle, puis faites cuire rapidement.

Crêpe au risotto et aux brocolis

Comme une omelette espagnole, cette crêpe épaisse se sert en tranches. Elle est aussi bonne chaude que froide, et s'accommode d'une simple salade.

POUR 6 PERSONNES
225 g (8 oz) de brocoli divisé en très petits bouquets
1 oignon haché
2 gousses d'ail écrasées
1 gros poivron jaune émincé
2 cuillerées à soupe d'huile d'olive
50 g (2 oz) de beurre
225 g (8 oz) de riz à risotto
120 ml (1/2 tasse) de vin blanc sec
1 l (4 1/2 tasses) de bouillon
sel et poivre noir fraîchement moulu
115 g (4 oz) de pecorino ou de parmesan grossièrement râpé
4 œufs, blancs et jaunes séparés
1 tomate en rondelles et persil haché pour la présentation

1 Faites blanchir le brocoli 3 minutes, puis égouttez et réservez.

2 Faites revenir l'oignon, l'ail et le poivron dans l'huile et le beurre pendant 5 minutes.

3 Incorporez le riz, laissez cuire 1 minute, puis ajoutez le vin. Faites cuire en mélangeant jusqu'à ce que le liquide soit absorbé.

4 Versez le bouillon, assaisonnez bien, portez à ébullition, puis réduisez le feu à frémissement. Laissez cuire 20 minutes.

5 Pendant ce temps, graissez un moule à gâteau rond et profond de 25 cm (10 po) de diamètre et doublez le fond avec un disque de papier sulfurisé. Préchauffez le four à 180 °C (350 °F).

6 Incorporez le fromage au riz, laissez tiédir le mélange 5 minutes, puis intégrez les jaunes d'œufs en fouettant.

7 Montez les blancs en neige et incorporez-les délicatement au riz. Versez le mélange dans le moule et mettez au four 1 heure environ, jusqu'à ce que la préparation ait levé et soit dorée mais légèrement tremblotante au centre.

8 Laissez refroidir dans le moule, puis mettez au réfrigérateur si vous voulez servir ce plat froid. Passez une lame de couteau autour du bord du moule et faites glisser sur un plat de service. Si vous le souhaitez, garnissez de rondelles de tomate et de persil haché.

Lasagnes aux poireaux et au fromage de chèvre

Ces lasagnes au fromage de chèvre doux sont originales et plus légères que la version traditionnelle. La pâte sera moins caoutchouteuse si vous la faites bouillir quelques instants. Si vous choisissez des lasagnes sans cuisson, préparez plus de sauce car celle-ci sera davantage absorbée.

POUR 6 PERSONNES
6 à 8 feuilles de lasagnes
1 grosse aubergine
3 poireaux, finement émincés
2 cuillerées à soupe d'huile d'olive
2 poivrons rouges grillés
200 g (7 oz) de fromage de chèvre émietté
50 g (2 oz) de pecorino ou de parmesan fraîchement râpé
POUR LA SAUCE
60 g (2 1/2 oz) de farine
60 g (2 1/2 oz) de beurre
900 ml (3 3/4 tasses) de lait
1/2 cuillerée à thé de feuilles de laurier émiettées
muscade fraîchement râpée
sel et poivre noir fraîchement moulu

1 Faites blanchir les feuilles de lasagnes dans une grande quantité d'eau bouillante pendant 2 minutes. Égouttez et disposez sur un torchon propre.

2 Salez légèrement l'aubergine et laissez-la égoutter dans une passoire pendant 30 minutes, puis rincez et séchez en tapotant avec du papier absorbant.

3 Faites légèrement revenir les 4 poireaux dans l'huile pendant 5 minutes. Pelez les poivrons et coupez-les en bandelettes.

4 Pour la sauce, mettez la farine, le beurre et le lait dans une casserole et portez à ébullition en remuant constamment jusqu'à ce qu'elle ait épaissi. Ajoutez le laurier, la muscade et assaisonnez. Laissez frémir encore 2 minutes.

5 Beurrez un plat, disposez-y les poireaux, les poivrons, les feuilles de pâte, l'aubergine, le chèvre et le pecorino ou le parmesan. Nappez de sauce entre les couches.

6 Finissez par une couche de sauce et de fromage râpé. Mettez au four à 190 °C (375 °F) pendant 30 minutes, jusqu'à ce que le dessus soit coloré. Servez.

Saucisses de Glamorgan

Cette ancienne recette galloise est particulièrement savoureuse servie avec une purée de pommes de terre crémeuse et du chou légèrement cuit.

POUR 4 PERSONNES
115 g (4 oz) de chapelure fraîche de pain complet
150 g (6 oz) de cheddar affiné râpé
2 cuillerées à soupe de poireau ou d'oignons nouveaux finement hachés
2 cuillerées à soupe de persil frais haché
1 cuillerée à soupe de marjolaine fraîche hachée
1 cuillerée à soupe de moutarde à grains
2 œufs, blancs et jaunes séparés
poivre noir fraîchement moulu
50 g (2 oz) de chapelure sèche
huile de friture

1 Mélangez la chapelure fraîche avec le fromage, le poireau ou l'oignon, le persil, la marjolaine, la moutarde, un œuf entier et un jaune, et le poivre. Malaxez légèrement le mélange avec les doigts. Façonnez huit petites formes de saucisses.

2 Fouettez le blanc d'œuf jusqu'à ce qu'il soit légèrement mousseux et mettez la chapelure sèche dans un bol. Trempez les saucisses d'abord dans le blanc d'œuf, puis recouvrez-les de chapelure. Éliminez tout excédent.

3 Faites chauffer une friteuse remplie au tiers d'huile, et faites frire délicatement quatre saucisses à la fois pendant 2 minutes pour chaque série. Égouttez sur du papier absorbant et réchauffez l'huile avant de recommencer.

4 Gardez les saucisses, sans les couvrir, au chaud dans le four. Vous pouvez aussi les congeler à découvert avant de les mettre dans un sac. Pour servir, laissez décongeler 1 heure puis mettez au four, à chaleur moyenne, pendant 10 à 15 minutes.

Poivrons farcis à la brésilienne

Colorés et pleins de saveur, ces poivrons sont faciles à préparer à l'avance. Ils peuvent être réchauffés rapidement au micro-ondes avant d'être passés sous un gril.

POUR 4 PERSONNES
4 poivrons, coupés en deux et épépinés
1 aubergine en gros dés
1 oignon émincé
1 gousse d'ail écrasée
2 cuillerées à soupe d'huile d'olive
400 g (14 oz) de tomates concassées en boîte
1 cuillerée à thé de coriandre moulue
sel et poivre noir fraîchement moulu
1 cuillerée à soupe de basilic frais haché
115 g (4 oz) de fromage de chèvre grossièrement râpé
2 cuillerées à soupe de chapelure sèche

1 Faites blanchir les poivrons 3 minutes dans de l'eau bouillante, puis égouttez-les bien.

2 Saupoudrez les morceaux d'aubergine de sel, mettez-les dans une passoire et laissez égoutter pendant 20 minutes. Rincez et épongez.

3 Faites revenir l'oignon et l'ail dans l'huile pendant 5 minutes, jusqu'à ce qu'ils soient tendres, puis ajoutez l'aubergine et laissez cuire 5 minutes encore, en remuant de temps en temps.

VARIANTE

Les poivrons peuvent être farcis de toutes sortes de manières. Le riz ou les pâtes constituent une bonne base que vous pourrez mélanger à de l'oignon légèrement frit, de l'ail et des épices. Un mélange de noix finement hachées peut être ajouté, ainsi qu'un œuf battu ou du fromage râpé pour lier le tout – les végétaliens peuvent éliminer ces deux derniers ingrédients.

4 Versez les tomates, la coriandre et assaisonnez. Portez à ébullition, puis laissez frémir 10 minutes jusqu'à ce que le mélange ait épaissi. Laissez un peu refroidir, incorporez le basilic et la moitié du fromage.

5 Garnissez les poivrons et placez-les dans un plat. Saupoudrez de fromage et de chapelure, puis faites dorer sous le gril. Servez avec du riz et de la salade.

Gougère au fromage

Cette gougère est un excellent plat principal qui peut être préparé à l'avance et cuit au dernier moment. Essayez cette recette – sa forme originale garantira son succès !

POUR 4 PERSONNES
115 g (4 oz) de farine
1/2 cuillerée à thé de sel
75g (3 oz) de beurre
200 ml (7 oz) d'eau
3 œufs battus
75 g (3 oz) de gruyère en dés
POUR LA GARNITURE
1 petit oignon émincé
1 carotte grossièrement râpée
225 g (8 oz) de mini-champignons de couche émincés
40 g (1 1/2 oz) de beurre ou de margarine
1 cuillerée à thé de pâte à tikka ou de curry doux
2 cuillerées à soupe de farine
300 ml (1 1/4 tasse) de lait
2 cuillerées à soupe de persil frais haché
sel et poivre noir fraîchement moulu
2 cuillerées à soupe d'amandes effilées

1 Préchauffez le four à 200 °C (400 °F). Graissez un plat peu profond allant au four de 23 cm (9 po) de long environ.

2 Pour la pâte à chou, tamisez la farine et le sel sur une feuille de papier sulfurisé.

3 Dans une grande casserole, faites chauffer le beurre et l'eau jusqu'à ce que le beurre fonde. Pliez le papier et versez la farine dans la casserole en une seule fois.

4 Travaillez le mélange vivement jusqu'à ce que les grumeaux soient lissés et qu'il se détache des côtés de la casserole. Laissez refroidir 10 minutes.

5 Incorporez progressivement les œufs battus au mélange jusqu'à obtenir une consistance souple mais encore assez solide. Vous n'aurez peut-être pas besoin de tous les œufs battus.

6 Incorporez le fromage, puis disposez le mélange à la cuillère sur le pourtour du plat.

7 Pour la garniture, faites sauter l'oignon, la carotte et les champignons dans le beurre pendant 5 minutes. Incorporez la pâte à tikka ou le curry, puis la farine.

8 Versez progressivement le lait et faites chauffer jusqu'à ce que le mélange épaississe. Ajoutez le persil, assaisonnez bien, puis versez au centre de la pâte à chou.

9 Mettez au four 35 à 40 minutes, jusqu'à ce que la pâte ait levé et soit dorée, en saupoudrant d'amandes effilées dans les cinq dernières minutes de cuisson. Servez immédiatement.

LE CONSEIL DU CHEF

La pâte à choux est très facile à faire, car elle ne nécessite aucune abaisse. Le secret du succès est de laisser refroidir le mélange de farine et de beurre avant d'incorporer les œufs, pour éviter qu'ils ne cuisent.

Chou farci au couscous

Un chou entier farci est un superbe plat principal – idéal pour un déjeuner dominical. Il peut être préparé à l'avance et cuit à la vapeur au dernier moment. Servez-le accompagné d'une sauce aux tomates fraîches ou avec une sauce végétarienne (voir page 112).

POUR 4 PERSONNES
1 chou de taille moyenne
115 g (4 oz) de semoule
1 oignon haché
1 petit poivron rouge haché
2 gousses d'ail écrasées
2 cuillerées à soupe d'huile d'olive
1 cuillerée à thé de coriandre moulue
1/2 cuillerée à thé de cumin moulu
1 bonne pincée de cannelle moulue
115 g (4 oz) de lentilles vertes trempées
600 ml (2 1/2 tasses) de bouillon
2 cuillerées à soupe de purée de tomates
sel et poivre noir fraîchement moulu
2 cuillerées à soupe de persil frais haché
2 cuillerées à soupe de pignons ou
    d'amandes effilées
75 g (3 oz) de cheddar affiné râpé
1 œuf battu

1 Coupez le quartier supérieur du chou et éliminez toutes les feuilles extérieures qui se détachent. Avec un petit couteau tranchant, évidez l'intérieur autant que possible. Mettez de côté quelques grandes feuilles.

2 Faites blanchir le chou dans une casserole d'eau bouillante pendant 5 minutes, puis égouttez bien, à l'envers.

VARIANTE

Vous pouvez remplacer la semoule par du riz brun.

3 Faites gonfler la semoule à la vapeur selon les instructions figurant sur le paquet.

4 Faites légèrement revenir l'oignon, le poivron et l'ail dans l'huile pendant 5 minutes, jusqu'à ce qu'ils soient tendres, puis ajoutez les épices et laissez cuire encore 2 minutes.

5 Ajoutez les lentilles et versez le bouillon et la purée de tomates. Portez à ébullition, assaisonnez et laissez frémir pendant 25 minutes.

6 Incorporez la semoule, le persil, les pignons ou les amandes, le fromage et l'œuf. Vérifiez l'assaisonnement. Disposez la garniture dans le chou.

7 Faites blanchir les feuilles extérieures mises de côté et placez-les sur la garniture, puis enveloppez le tout dans une feuille de papier d'aluminium beurrée.

8 Disposez dans un panier de cuisson à la vapeur au-dessus d'une casserole d'eau frémissante et laissez cuire environ 45 minutes. Sortez le chou de la feuille d'aluminium et servez-le coupé en parts.

Couscous épicé 🍂

Les cuisines marocaine et tunisienne comportent de nombreux plats à base de semoule cuite à la vapeur au-dessus de ragoûts épicés. Une touche finale de harissa relèvera encore un peu la saveur de ce plat.

POUR 4 À 6 PERSONNES
450 g (1 lb) de semoule
4 cuillerées à soupe d'huile d'olive
1 oignon en quartiers
2 carottes, en grosses rondelles
2 mini-navets, coupés en deux
8 petites pommes de terre nouvelles,
    coupées en deux
1 poivron vert en quartiers
115 g (4 oz) de haricots verts,
    coupés en deux
1 petit bulbe de fenouil en grosses
    rondelles
2,5 cm (1 po) de gingembre frais râpé
2 gousses d'ail écrasées
1 cuillerée à thé de curcuma moulu
1 cuillerée à soupe de coriandre moulue
1 cuillerée à thé de graines de cumin
1 cuillerée à thé de cannelle moulue
3 cuillerées à soupe de lentilles rouges
400 g (14 oz) de tomates concassées en
    boîte
1 l (4 1/2 tasses) de bouillon
4 cuillerées à soupe de raisins secs
sel et poivre noir fraîchement moulu
zeste et jus de 1 citron
harissa pour servir (facultatif)

1 Recouvrez la semoule d'eau froide et laissez tremper 10 minutes. Égouttez, étalez sur un plateau, laissez reposer pendant 20 minutes, en mélangeant de temps en temps avec les doigts.

2 Faites revenir les légumes dans l'huile pendant 10 minutes environ, en mélangeant de temps en temps.

3 Ajoutez le gingembre, l'ail et les épices, mélangez bien et laissez cuire 2 minutes. Versez les lentilles, la tomate, le bouillon et les raisins secs, et assaisonnez.

4 Portez à ébullition, puis réduisez le feu pour que le mélange soit juste frémissant. La semoule doit alors être prête à cuire. Placez-la dans un panier et posez celui-ci au-dessus du ragoût.

5 Couvrez et laissez doucement étuver pendant 20 minutes environ. Les grains doivent être gonflés et tendres. Aérez la masse avec une fourchette et assaisonnez bien. Disposez sur un plat.

6 Ajoutez le zeste et le jus de citron au ragoût, et vérifiez l'assaisonnement. Si vous aimez cela, ajoutez de la harissa. Servez le ragoût dans un plat creux, séparément. Disposez la semoule dans des assiettes et ajoutez le ragoût dessus.

Roulés de chou, sauce au citron

Ces feuilles de chou ou de bettes farcies servies avec une sauce à l'œuf et au citron constituent un plat principal léger et savoureux.

POUR 4 À 6 PERSONNES
12 grandes feuilles de chou ou de bettes, sans leurs tiges
2 cuillerées à soupe d'huile de tournesol
1 oignon haché
1 grosse carotte râpée
115 g (4 oz) de champignons émincés
600 ml (2 1/2 tasses) de bouillon
115 g (4 oz) de riz long
4 cuillerées à soupe de lentilles rouges
1 cuillerée à thé d'origan ou de marjolaine sèche
sel et poivre noir fraîchement moulu
100 g (3 1/2 oz) de fromage frais à l'ail
POUR LA SAUCE
3 cuillerées à soupe de farine
jus de 1 citron
3 œufs battus

1 Faites blanchir les feuilles dans de l'eau bouillante salée jusqu'à ce qu'elles commencent à mollir. Égouttez, réservez l'eau et tapotez les feuilles avec du papier absorbant pour les sécher.

2 Faites revenir l'oignon, la carotte et les champignons dans l'huile pendant 5 minutes, puis versez dessus le bouillon.

3 Ajoutez le riz, les lentilles, les herbes et l'assaisonnement. Portez à ébullition, couvrez et laissez frémir doucement pendant 15 minutes. Retirez du feu, puis incorporez le fromage. Préchauffez le four à 190 °C (375 °F).

4 Disposez la garniture à l'extrémité des feuilles de bettes ou de chou, côté tige. Repliez les côtés et roulez.

5 Placez les roulés, le côté de la pliure en dessous, dans un plat allant au four et versez l'eau de cuisson. Couvrez avec une feuille d'aluminium légèrement graissée et mettez au four 30 à 45 minutes.

6 Sortez les roulés du four, égouttez et disposez sur un plat de service. Versez 600 ml (2 1/2 tasses) de l'eau de cuisson dans une casserole et portez à ébullition.

7 Mélangez la farine à un peu d'eau froide pour obtenir une pâte filante. En fouettant, incorporez cette pâte et le jus de citron au bouillon en ébullition.

8 Fouettez les œufs dans un récipient allant sur le feu et versez lentement dessus le bouillon chaud, en fouettant sans arrêt.

9 Remettez le tout sur feu très doux et mélangez jusqu'à obtenir une sauce lisse et épaisse. Ne laissez pas cuire pour ne pas avoir de grumeaux. Nappez les roulés avec peu de sauce et servez le reste dans une saucière séparée.

Irish colcannon

Ce délicieux plat d'hiver ressemble un peu aux œufs à la florentine. Ici, les œufs cuits au four sont nichés dans un mélange de pommes de terre crémeuses et de chou, et saupoudrés de fromage râpé.

POUR 4 PERSONNES
1 kg (2 lb) de pommes de terre en morceaux réguliers
225 g (8 oz) de chou frisé ou de chou vert émincé
2 oignons nouveaux hachés
beurre ou margarine à volonté
muscade fraîchement râpée
sel et poivre noir fraîchement moulu
4 gros œufs
75 g (3 oz) de fromage affiné râpé

1 Faites bouillir les pommes de terre jusqu'à ce qu'elles soient juste tendres, puis égouttez et réduisez en purée lisse.

2 Faites cuire le chou jusqu'à ce qu'il soit juste tendre. Préchauffez le four à 190 °C (375 °F).

3 Égouttez le chou et mélangez-le aux pommes de terre avec les oignons, le beurre ou la margarine et la muscade. Assaisonnez à votre goût.

4 Disposez le mélange dans un plat peu profond allant au four et faites quatre creux dedans. Cassez un œuf dans chacun, et assaisonnez bien.

5 Mettez au four 12 minutes environ, jusqu'à ce que les œufs soient juste pris, puis servez saupoudré de fromage.

Pâtes à la caponata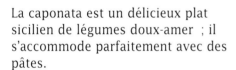

La caponata est un délicieux plat sicilien de légumes doux-amer ; il s'accommode parfaitement avec des pâtes.

POUR 4 PERSONNES
1 aubergine moyenne en bâtonnets
2 courgettes moyennes en bâtonnets
8 oignons grelots pelés ou 1 gros oignon émincé
2 gousses d'ail écrasées
1 gros poivron rouge émincé
4 cuillerées à soupe d'huile d'olive vierge extra
450 ml (2 tasses) de jus de tomates ou 500 ml (2 1/4 tasses) de coulis de tomates en brique
150 ml (2/3 tasse) d'eau
2 cuillerées à soupe de vinaigre balsamique
jus de 1 citron
1 cuillerée à soupe de sucre
2 cuillerées à soupe d'olives noires émincées
2 cuillerées à soupe de câpres
sel et poivre noir fraîchement moulu
400 g (14 oz) de tagliatelles ou d'autres pâtes longues

1 Salez légèrement l'aubergine et les courgettes et laissez-les égoutter dans une passoire pendant 30 minutes. Rincez et essuyez avec du papier absorbant.

2 Faites revenir les oignons, l'ail et le poivron dans l'huile 5 minutes. Incorporez l'aubergine et les courgettes, et laissez cuire 5 minutes.

3 Versez le jus ou le coulis de tomates et l'eau. Mélangez bien, portez à ébullition puis ajoutez tous les autres ingrédients, à l'exception des pâtes. Assaisonnez à votre goût et laissez frémir 10 minutes.

4 Pendant ce temps, faites cuire les pâtes conformément aux instructions figurant sur le paquet, puis égouttez. Servez la caponata sur les pâtes.

Gnocchis d'épinards

Ce plat italien nourrissant peut se préparer à l'avance pour être cuit au four avant de servir. Une sauce aux tomates fraîches l'accompagnera parfaitement.

POUR 4 À 6 PERSONNES
400 g (14 oz) d'épinards frais ou 150 g (6 oz) d'épinards en branches congelés (préalablement décongelés)
750 ml (3 bonnes tasses) de lait
200 g (7 oz) de semoule fine
50 g (2 oz) de beurre fondu
50 g (2 oz) de parmesan fraîchement râpé, plus une petite quantité supplémentaire pour servir
muscade fraîchement râpée
sel et poivre noir fraîchement moulu
2 œufs battus

2 Faites chauffer le lait et, au point d'ébullition, versez la semoule en saupoudrant régulièrement, tout en fouettant vivement avec une cuillère en bois.

5 Découpez des formes avec un emporte-pièce rond de 4 cm (1 1/2 po) de diamètre. Réservez les chutes.

1 Faites blanchir les épinards dans très peu d'eau, puis égouttez et pressez dans un chinois avec le dos d'une cuillère pour éliminer toute l'eau.

VARIANTE

Pour une occasion spéciale, faites une moitié de gnocchis ordinaires et une moitié de gnocchis aux épinards et disposez-les joliment sur un plat de service. Pour les deux variétés, suivez cette recette, mais en diminuant la quantité des épinards de moitié, quantité que vous ajouterez à la moitié du mélange dans un bol séparé. Faites cuire tous les gnocchis normalement. Pour un repas plus substantiel, préparez une base de légumes composée de poivrons légèrement sautés, de courgettes et de champignons, et disposez les gnocchis dessus.

3 Laissez frémir 2 minutes, puis retirez du feu. Incorporez la moitié du beurre, tout le fromage et la muscade ; assaisonnez et ajoutez les épinards. Laissez tiédir 5 minutes.

4 Incorporez les œufs, puis repartissez le mélange sur une plaque sur une épaisseur de 1 cm (1/2 po). Laissez refroidir, jusqu'à ce que le mélange soit solide.

6 Graissez un plat peu profond allant au four. Mettez les chutes au fond et disposez les rondelles de gnocchis dessus en quinconce.

7 Badigeonnez le dessus avec le reste de beurre et saupoudrez avec le restant de fromage.

8 Préchauffez le four à 190 °C (375 °F) et faites cuire 35 minutes, jusqu'à ce que les gnocchis soient dorés et croustillants sur le dessus. Servez chaud avec une sauce aux tomates fraîches et du fromage.

Rissoles de riz rouge

Le riz à risotto devient ferme en refroidissant, tout en restant léger et crémeux quand on le réchauffe sous forme de rissoles croustillantes. Celles-ci contiennent des petites noix de fromage.

POUR 8 PERSONNES ENVIRON
1 gros oignon rouge haché
1 poivron rouge haché
2 gousses d'ail écrasées
1 piment rouge finement haché
2 cuillerées à soupe d'huile d'olive
25 g (1 oz) de beurre
225 g (8 oz) de riz à risotto
1 l (4 1/2 tasses) de bouillon
4 tomates sèches hachées
2 cuillerées à soupe de purée de tomates
2 cuillerées à thé d'origan sec
sel et poivre noir fraîchement moulu
3 cuillerées à soupe de persil frais haché
150 g (6 oz) de fromage (red leicester ou cheddar fumé par exemple)
1 œuf battu
115 g (4 oz) de chapelure sèche
huile de friture

1 Faites revenir l'oignon, le poivron, l'ail et le piment dans l'huile et le beurre pendant 5 minutes. Incorporez le riz et laissez cuire encore 2 minutes.

2 Versez le bouillon et ajoutez les tomates, la purée de tomates, l'origan et l'assaisonnement. Portez à ébullition en mélangeant de temps en temps, puis couvrez et laissez frémir 20 minutes.

3 Ajoutez le persil, versez dans un plat peu profond, laissez refroidir et mettez au réfrigérateur jusqu'à ce que le mélange soit ferme. Divisez ensuite en douze portions et façonnez-les en boulettes.

4 Coupez le fromage en douze morceaux et intégrez-les au centre de chaque rissole.

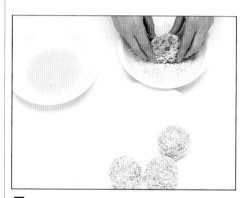

5 Mettez l'œuf battu dans un bol et la chapelure dans un autre. Trempez les rissoles d'abord dans l'œuf, puis roulez-les dans la chapelure.

6 Disposez les rissoles sur une assiette et remettez au réfrigérateur 30 minutes. Remplissez une friteuse d'huile au tiers de sa hauteur, et faites chauffer. L'huile est chaude lorsqu'un dé de pain brunit en moins d'une minute.

7 Faites frire les rissoles pendant 3 à 4 minutes. Égouttez sur du papier absorbant et maintenez au chaud, à découvert, jusqu'au moment de servir.

Curry aux gros haricots et au chou-fleur

Servez ce curry savoureux, parfait pour un repas de milieu de semaine, avec du riz (de préférence un basmati brun) et éventuellement un raita au concombre.

POUR 4 PERSONNES
2 gousses d'ail hachées
2,5 cm (1 po) de gingembre frais
1 piment vert frais épépiné et haché
1 cuillerée à soupe d'huile
1 oignon émincé
1 grosse pomme de terre hachée
25 g (1 oz) de beurre
1 cuillerée à soupe de curry en poudre
1 chou-fleur divisé en petits bouquets
600 ml (2 1/2 tasses) de bouillon
2 cuillerées à soupe de crème de coco
sel et poivre noir fraîchement moulu
285 g (10 oz) de gros haricots en boîte
   avec leur jus
jus de 1/2 citron (facultatif)
coriandre ou persil frais hachés pour servir

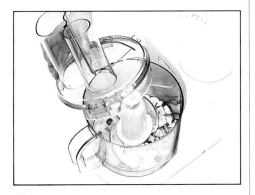

1 Mélangez l'ail, le gingembre, le piment et l'huile dans un robot ménager jusqu'à obtenir une pâte lisse.

2 Dans une grande casserole, faites revenir l'oignon et la pomme de terre dans le beurre pendant 5 minutes, puis incorporez la pâte épicée et le curry. Laissez cuire 1 minute.

3 Ajoutez les bouquets de chou-fleur et mélangez bien, puis versez le bouillon. Portez à ébullition et incorporez la crème de coco en mélangeant jusqu'à ce qu'elle fonde.

4 Assaisonnez bien puis couvrez et laissez frémir 10 minutes. Ajoutez les haricots avec leur jus, et faites cuire à découvert pendant 10 minutes encore.

5 Vérifiez l'assaisonnement et ajoutez le jus de citron si vous le souhaitez. Servez chaud garni de coriandre ou de persil.

SALADES
& LÉGUMES

Voici une délicieuse gamme de salades colorées,
de légumes et de garnitures.
En rassemblant des ingrédients variés, tous faciles à trouver,
vous pourrez sélectionner la recette idéale pour chaque type de repas.

Sauté de haricots germés 🌿

Les haricots que l'on fait soi-même germer ont davantage de saveur et une meilleure texture que les variétés proposées dans le commerce ; ils sont en outre particulièrement nutritifs et riches en vitamines et en fibres.

POUR 3 À 4 PERSONNES
2 cuillerées à soupe d'huile d'olive
   ou d'arachide
225 g (8 oz) de haricots germés
2 oignons nouveaux hachés
1 gousse d'ail écrasée
2 cuillerées à soupe de sauce de soja
2 cuillerées à thé d'huile de sésame
1 cuillerée à soupe de graines de sésame
2 cuillerées à soupe de coriandre ou
   de persil frais hachés
sel et poivre noir fraîchement moulu

1 Faites chauffer l'huile dans un grand wok et faites sauter les haricots, l'oignon et l'ail pendant 3 à 5 minutes.

2 Ajoutez le reste des ingrédients, laissez encore cuire 1 à 2 minutes et servez chaud.

FAIRE GERMER DES LÉGUMES SECS

Lentilles vertes, brunes ou indiennes, haricots aduki, haricots mungo, pois chiches, flageolets, soja sont autant de légumes secs que vous pouvez faire germer. Recouvrez avec de l'eau tiède 3 cuillerées à soupe des légumes de votre choix. Laissez tremper toute la nuit, puis égouttez et rincez. Placez les légumes dans un plat à germer. Recouvrez d'une mousseline et maintenez-la avec un élastique. Si vous utilisez un bocal, couchez-le sur le côté et secouez-le pour que les légumes se répartissent. Laissez dans un endroit tiède. Rincez les légumes matin et soir avec beaucoup d'eau froide en faisant passer l'eau à travers la mousseline. Égouttez. Répétez l'opération deux fois par jour jusqu'à ce que des racines et des germes apparaissent – si rien n'apparaît au bout de 48 heures, les légumes sont sans doute trop vieux. Quand les pousses atteignent au moins deux fois la longueur du légume, rincez une dernière fois et conservez au réfrigérateur deux jours au maximum.

Salade panzanella

Préparer une salade avec des rondelles de tomates et des tranches de pain rassis semble saugrenu ? Il s'agit pourtant d'un plat italien délicieux et très populaire, idéal pour une entrée ou une garniture.

POUR 4 À 6 PERSONNES
4 tranches épaisses de pain de la veille,
   blanc, bis ou de seigle
1 petit oignon rouge, finement émincé
450 g (1 lb) de tomates mûres émincées
115 g (4 oz) de mozzarelle en tranches
1 cuillerée à soupe de marjolaine
   ou de basilic frais en chiffonnade
sel et poivre noir fraîchement moulu
120 ml (1/2 tasse) d'huile d'olive vierge extra
3 cuillerées à soupe de vinaigre
   balsamique
jus de 1 petit citron
olives noires, dénoyautées et émincées,
   ou câpres en saumure, pour garnir

1 Trempez le pain brièvement dans de l'eau froide, puis pressez-le délicatement pour exprimer l'excédent d'eau. Arrangez-le au fond d'un saladier peu profond.

2 Faites tremper les rondelles d'oignon dans de l'eau froide 10 minutes. Égouttez et réservez.

3 Disposez des couches de tomates, de fromage, d'oignon, de basilic ou de marjolaine, en assaisonnant bien entre chaque couche. Arrosez légèrement d'huile, de vinaigre et de jus de citron.

4 Terminez par les olives ou les câpres, couvrez avec un film plastique et laissez si possible une nuit au réfrigérateur.

Salade Caesar

Le jour de l'indépendance du Mexique, à Tijuana, en 1924, le restaurateur Caesar Cardini créa ce chef-d'œuvre de la nouvelle cuisine américaine : une salade appétissante, légère, un peu croquante, savoureuse et nutritive !

POUR 4 PERSONNES
2 tranches épaisses de pain, sans la croûte
2 gousses d'ail
huile de tournesol, pour la friture
1 laitue romaine, déchirée en morceaux
50 g (2 oz) de parmesan frais, râpé
  grossièrement
2 œufs
POUR LA VINAIGRETTE
2 cuillerées à soupe d'huile d'olive vierge
  extra
2 cuillerées à thé de moutarde de Dijon
2 cuillerées à thé de sauce Worcestershire
2 cuillerées à soupe de jus de citron frais

1 Coupez le pain en dés. Dans une casserole, faites doucement chauffer l'une des gousses d'ail dans 3 cuillerées à soupe d'huile de tournesol, puis jetez-y les dés de pain. Retirez la gousse d'ail.

2 Préchauffez le four à 190 °C (375 °F) Répartissez les croûtons aillés sur une plaque à pâtisserie et faites-les rôtir 10 à 12 minutes. Débarrassez et laissez refroidir.

3 Frottez l'intérieur d'un grand saladier avec la gousse d'ail restante.

4 Disposez la laitue dans le saladier, en saupoudrant de fromage au fur et à mesure. Couvrez et réservez.

5 Portez une petite casserole d'eau à ébullition et faites cuire les œufs 1 minute. Sortez-les de l'eau et ouvrez-les dans un bol. Les blancs doivent être laiteux et les jaunes crus.

6 Fouettez les ingrédients de la vinaigrette avec les œufs. Au moment de servir, versez la sauce sur les feuilles de salade, mélangez bien et servez parsemé de croûtons.

VARIANTE

Pourquoi ne pas essayer une version italienne et rafraîchissante de cette salade ? Utilisez du pain ciabatta pour les croûtons. Frottez l'intérieur d'un saladier avec de l'ail et versez-y 2 à 3 cuillerées à soupe d'une huile d'olive de bonne qualité. Ajoutez un mesclun de feuilles déchirées – comprenant de la roquette – et du parmesan. Ne mélangez pas encore. Juste avant de servir, ajoutez les croûtons, assaisonnez bien, puis mélangez les feuilles de salade avec l'huile. Pressez un citron frais sur le tout.

Salade du chef

Une salade du chef, c'est en fait une salade que vous créez vous-même avec vos ingrédients favoris. Elle vous permet aussi d'utiliser des restes de légumes et de fromage. Ces quantités sont approximatives, à vous de les adapter selon vos envies !

POUR 6 PERSONNES
450 g (1 lb) de pommes de terre nouvelles, coupées en deux si elles sont grosses
2 carottes, grossièrement râpées
1/2 petit bulbe de fenouil ou 2 branches de céleri, finement émincés
50 g (2 oz) de champignons de couche
1/4 de concombre, émincé ou haché
1 petit poivron rouge ou vert, émincé
4 cuillerées à soupe de petits pois
200 g (7 oz) de légumes secs cuits (haricots rouges ou lentilles vertes par exemple)
1 laitue iceberg ou mini-laitue ou endive
2 ou 3 œufs durs, coupés en quatre et/ou fromage râpé, pour servir
1/2 paquet de cresson ciselé

1 Mettez tous les légumes, excepté la laitue ou l'endive, dans un saladier.

POUR LA VINAIGRETTE
4 cuillerées à soupe de mayonnaise
3 cuillerées à soupe de yaourt nature
2 cuillerées à soupe de lait
2 cuillerées à soupe de ciboulette fraîche ou de vert d'oignons nouveaux haché
sel et poivre noir fraîchement moulu

2 Tapissez un grand plat avec les feuilles de laitue ou d'endive, en faisant un nid pour mettre les autres ingrédients de la salade. Versez la vinaigrette sur les légumes dans le saladier.

3 Mélangez bien la salade à la sauce, assaisonnez bien et déposez le tout au milieu des feuilles de laitue ou d'endive.

4 Garnissez la salade avec les œufs et/ou le fromage, et parsemez de cresson. Servez légèrement frais.

Salade de pommes de terre et de radis

Les salades de pommes de terre sont souvent assaisonnées avec des sauces épaisses. Découvrez cette salade colorée, agrémentée d'une sauce savoureuse et légère.

POUR 4 À 6 PERSONNES
450 g (1 lb) de pommes de terre nouvelles grattées
3 cuillerées à soupe d'huile d'olive
1 cuillerée à soupe d'huile de noix ou de noisettes (facultatif)
2 cuillerées à soupe de vinaigre de vin
2 cuillerées à thé de moutarde de Meaux
1 cuillerée à thé de miel clair
sel et poivre noir fraîchement moulu
6 à 8 radis, finement émincés
2 cuillerées à soupe de ciboulette fraîche émincée

1 Faites bouillir les pommes de terre jusqu'à ce qu'elles soient juste tendres. Égouttez-les. Coupez les grosses en deux.

2 Faites une vinaigrette avec les huiles, le vinaigre, la moutarde, le miel, le sel et le poivre. Mélangez bien dans un bol.

3 Versez la vinaigrette sur les pommes de terre encore tièdes et laissez reposer 1 heure environ.

4 Ajoutez les radis et la ciboulette, rafraîchissez légèrement, mélangez encore et servez.

LE CONSEIL DU CHEF

Le secret d'une bonne salade de pommes de terre est d'assaisonner les pommes de terre encore tièdes avec une sauce vinaigrette, pour qu'elles s'imprègnent de la saveur en refroidissant. Vous pouvez ensuite ajouter une sauce crémeuse à base de mayonnaise et de yaourt nature si vous le souhaitez. Des tranches de céleri, des rondelles d'oignon rouge ou des noix hachées peuvent remplacer les radis. Servez sur un plat bordé de feuilles de laitue frisée.

Riz thaï et haricots germés

Le riz thaï a une texture et un parfum délicats, et est aussi délicieux chaud que froid. Cette salade colorée rassemble des saveurs de la cuisine populaire thaïe.

POUR 6 PERSONNES
2 cuillerées à soupe d'huile de sésame
2 cuillerées à soupe de jus de citron vert frais
1 petit piment rouge frais, épépiné et haché
1 gousse d'ail écrasée
2 cuillerées à thé de gingembre frais râpé
2 cuillerées à soupe de sauce de soja claire
1 cuillerée à thé de miel clair
3 cuillerées à soupe de jus d'ananas
1 cuillerée à soupe de vinaigre de vin
225 g (8 oz) de riz thaï parfumé, bouilli
2 oignons nouveaux émincés
2 rondelles d'ananas au jus naturel, hachées
150 g (5 oz) de lentilles ou de haricots germés
1 petit poivron rouge émincé
1 branche de céleri émincée
50 g (2 oz) de noix de cajou non salées, grossièrement hachées
2 cuillerées à soupe de graines de sésame grillées
sel et poivre noir fraîchement moulu

1 Mélangez l'huile de sésame, le jus de citron, le piment, l'ail, le gingembre, la sauce de soja, le miel, le jus d'ananas et le vinaigre dans un grand saladier. Incorporez le riz légèrement cuit à grande eau.

2 Ajoutez tous les ingrédients restants et mélangez bien. Ce plat peut être servi tiède ou légèrement frais. Si les grains de riz s'amalgament en refroidissant, mélangez-les simplement avec une cuillère en métal.

Salade d'endive, de carottes et de roquette

Cette salade lumineuse et colorée est idéale pour un buffet ou un barbecue. Utilisez du cresson d'eau si vous ne trouvez pas de roquette.

POUR 4 À 6 PERSONNES
3 carottes, grossièrement râpées
50 g (2 oz) environ de roquette ou de cresson d'eau frais, grossièrement haché
1 grosse endive
POUR LA VINAIGRETTE
3 cuillerées à soupe d'huile de tournesol
1 cuillerée à soupe d'huile de noisettes ou de noix (facultatif)
2 cuillerées à soupe de vinaigre de cidre ou de vin
2 cuillerées à thé de miel clair
1 cuillerée à thé de zeste de citron râpé
1 cuillerée à soupe de graines de pavot
sel et poivre noir fraîchement moulu

1 Mélangez les carottes et la roquette ou le cresson dans un saladier, et assaisonnez bien.

2 Mélangez les ingrédients de la vinaigrette en les secouant dans un bocal fermé, puis versez sur les carottes et la verdure. Remuez bien.

3 Tapissez un saladier peu profond avec les feuilles d'endive et disposez la salade au centre. Servez légèrement rafraîchi.

Salade de haricots et de noix

Cette salade peut constituer un très bon plat de résistance. Elle est également parfaite pour un buffet. Vous pourrez la garder jusqu'à trois jours au réfrigérateur.

POUR 6 PERSONNES

75 g (3 oz) de haricots rouges, pinto ou borlotti
75 g (3 oz) de haricots cannellini ou haricots blancs
2 cuillerées à soupe d'huile d'olive
175 g (6 oz) de haricots verts frais, coupés
3 oignons nouveaux émincés
1 petit poivron rouge ou jaune émincé
1 carotte, grossièrement râpée
2 cuillerées à soupe de copeaux d'oignons secs ou de tomates sèches, hachés
50 g (2 oz) de noix de cajou ou d'amandes non salées, séparées en deux

POUR LA VINAIGRETTE

3 cuillerées à soupe d'huile de tournesol
2 cuillerées à soupe de vinaigre de vin rouge
1 cuillerée à soupe de moutarde de Meaux
1 cuillerée à thé de sucre cristallisé
1 cuillerée à thé de mélange d'herbes sèches
sel et poivre noir fraîchement moulu

1 Faites tremper les haricots toute la nuit si possible, puis égouttez-les et rincez-les. Recouvrez-les d'une grande quantité d'eau froide et faites-les cuire.

2 Une fois cuits, égouttez et assaisonnez les haricots et mettez-les dans l'huile d'olive. Laissez refroidir 30 minutes.

3 Dans un saladier, mélangez les autres légumes, y compris les tomates sèches. Si vous utilisez des copeaux d'oignons, ne les incorporez pas à ce stade.

4 Mélangez les ingrédients de la vinaigrette en les secouant dans un bocal fermé. Versez sur la salade et rectifiez l'assaisonnement. Servez saupoudré avec les copeaux d'oignons, si vous en utilisez, et les noix.

Salade du jardin et croûtons aillés

Assaisonnez un mélange coloré de salades avec une huile d'olive de bonne qualité et du jus de citron fraîchement pressé, et ajoutez des croûtons : une salade délicieuse et rafraîchissante est prête à servir !

POUR 4 À 6 PERSONNES
3 tranches épaisses de pain de la veille
   (pain ciabatta par exemple)
120 ml (4 oz) d'huile d'olive vierge extra
1 gousse d'ail coupée
1/2 petite laitue romaine
1/2 petite salade feuille de chêne
25 g (1 oz) de roquette ou de cresson
25 g (1 oz) de persil plat frais
quelques feuilles et fleurs de nasturtium
fleurs de pensées et de soucis
1 petite poignée de feuilles de pissenlit
gros sel de mer et poivre noir moulu
jus de 1 citron

1 Coupez le pain en dés de 1 cm (1/2 po) de côté environ.

2 Faites chauffer la moitié de l'huile dans une poêle et faites revenir les croûtons. Retirez du feu et laissez refroidir.

3 Frottez l'intérieur d'un grand saladier avec la gousse d'ail. Versez le reste de l'huile.

4 Lavez, séchez et déchirez en morceaux les salades et les fleurs, et mettez-les dans le saladier. Salez et poivrez. Couvrez et mettez au réfrigérateur.

5 Au moment de servir, mélangez les feuilles à l'huile, puis versez le jus de citron et mélangez encore. Éparpillez les croûtons dessus et servez immédiatement.

Salade californienne 🥬

Riche en vitamines, cette belle salade saine et légère est idéale pour les jours ensoleillés où vous avez envie de faire le plein d'énergie!

POUR 4 PERSONNES
1 petite laitue frisée, déchirée en morceaux
225 g (8 oz) de feuilles de jeunes épinards
2 carottes, grossièrement râpées
115 g (4 oz) de tomates cerises, coupées en deux
2 branches de céleri, finement émincées
75 g (3 oz) de raisins secs
50 g (2 oz) d'amandes mondées ou de noix de cajou non salées, séparées en deux
2 cuillerées à soupe de graines de tournesol
2 cuillerées à soupe de graines de sésame, légèrement grillées
POUR LA VINAIGRETTE
3 cuillerées à soupe d'huile d'olive vierge
2 cuillerées à soupe de vinaigre de cidre
2 cuillerées à thé de miel clair
jus de 1 petite orange
sel et poivre noir fraîchement moulu

1 Mettez les légumes, les raisins secs, les amandes ou les noix de cajou et les graines dans un saladier.

2 Mélangez tous les ingrédients de la vinaigrette en les secouant dans un bocal fermé et versez sur la salade.

3 Remuez bien la salade et répartissez-la dans quatre petits récipients. Assaisonnez et servez légèrement frais.

Concombre à l'aneth à la scandinave

Savez-vous combien une touche de sel peut métamorphoser quelques simples rondelles de concombre? Elles prennent une texture contrastée, douce et croquante, et développent toute leur saveur. Attendez le dernier moment pour ajouter l'assaisonnement car les concombres continuent de rendre leur jus longtemps après avoir été salés. Cette salade complète particulièrement bien des aliments pimentés et épicés.

POUR 4 PERSONNES
2 concombres
sel
2 cuillerées à soupe de ciboulette fraîche hachée
2 cuillerées à soupe d'aneth frais haché
150 ml (2/3 tasse) de crème aigre ou de fromage frais
poivre noir fraîchement moulu

1 Coupez les concombres en rondelles aussi fines que possible, avec un robot ménager de préférence.

2 Placez les rondelles en couches dans une passoire posée sur une assiette pour recueillir le jus. Saupoudrez chaque couche de sel, sans en mettre trop.

3 Laissez égoutter le concombre pendant 2 heures, puis disposez les rondelles sur un torchon propre et tamponnez-les pour les sécher.

4 Mélangez le concombre aux herbes, à la crème ou au fromage frais et poivrez généreusement. Servez immédiatement.

LE CONSEIL DU CHEF

Le concombre légèrement salé (ou dégorgé) est également délicieux en garniture de sandwiches, entre de très fines tranches de pain bis beurrées. Ces sandwiches étaient traditionnellement servis en Grande-Bretagne à l'heure du thé.

Mayonnaise et vinaigrettes utiles 🥬

Une bonne vinaigrette peut transformer le plus simple mélange de légumes frais en un mets exquis. Rappelez-vous que les légumes légèrement cuits – carottes et pommes de terre par exemple –, les légumes secs et les céréales absorbent plus de saveur et sont moins gras s'ils sont assaisonnés lorsqu'ils sont encore chauds.

Mayonnaise maison

Il est préférable de battre cette mayonnaise à la main car, préparée au robot ménager, elle serait trop légère.

2 jaunes d'œufs
1/2 cuillerée à thé de sel
1/2 cuillerée à thé de moutarde sèche
poivre noir fraîchement moulu
300 ml (1 1/4 tasse) d'huile de tournesol
   ou d'un mélange d'huile d'olive
   et de tournesol
1 cuillerée à soupe de vinaigre de vin
1 cuillerée à soupe d'eau chaude

1 Mettez les jaunes d'œufs dans un bol avec le sel, la moutarde et le poivre.

2 Posez le bol sur une lingette à vaisselle humide. Battez au fouet les jaunes d'œufs et l'assaisonnement, puis incorporez un filet d'huile.

3 Continuez à verser l'huile en filet, en très faibles quantités. Le secret d'une mayonnaise bien épaisse est d'ajouter l'huile très lentement, en fouettant bien avant d'en verser davantage. Quand toute l'huile est incorporée, ajoutez le vinaigre et l'eau chaude. Pour préparer une mayonnaise au robot ménager, utilisez un œuf complet et un jaune au lieu de deux jaunes. Mélangez les œufs avec l'assaisonnement. Puis, en laissant tourner le robot, versez très lentement l'huile. Ajoutez le vinaigre.

Vinaigrette Thousand Islands 🥬 originale

4 cuillerées à soupe d'huile de tournesol
1 cuillerée à soupe de jus d'orange frais
1 cuillerée à soupe de jus de citron frais
2 cuillerées à thé de zeste de citron râpé
1 cuillerée à soupe d'oignon finement
   haché
1 cuillerée à thé de paprika
1 cuillerée à thé de sauce Worcestershire
1 cuillerée à soupe de persil finement
   haché
sel et poivre noir fraîchement moulu

Mélangez tous les ingrédients en les secouant énergiquement dans un bocal fermé. Cette vinaigrette s'accorde magnifiquement avec les salades vertes, les carottes râpées et les salades chaudes de pommes de terres, de pâtes et de riz.

Vinaigrette au yaourt

150 g (5 oz) de yaourt nature
2 cuillerées à soupe de mayonnaise
2 cuillerées à soupe de lait
1 cuillerée à soupe de persil frais haché
1 cuillerée à soupe de ciboulette fraîche ou
   de vert d'oignons nouveaux haché
sel et poivre noir fraîchement moulu

Mélangez simplement le tout.

Peperonata aux raisins secs

Les poivrons grillés et émincés en vinaigrette, agrémentés de raisins macérés dans du vinaigre, font une savoureuse salade.

POUR 2 À 4 PERSONNES
6 cuillerées à soupe de poivrons émincés à l'huile d'olive, égouttés
1 cuillerée à soupe d'oignons hachés
2 cuillerées à soupe de vinaigre balsamique
3 cuillerées à soupe de raisins secs
2 cuillerées à soupe de persil frais haché
poivre noir fraîchement moulu

1 Mélangez les poivrons à l'oignon, et laissez reposer 1 heure.

2 Mettez le vinaigre et les raisins secs dans une petite casserole et faites chauffer pendant 1 minute, puis laissez refroidir.

3 Mélangez délicatement tous les ingrédients et disposez-les dans un petit saladier de service. Servez légèrement frais.

LE CONSEIL DU CHEF

La peperonata est un classique de la cuisine italienne. On la sert en antipasto en début de repas, avec du pain de campagne pour saucer les jus parfumés. Servez du parmesan frais, un assortiment d'olives vertes et noires ou des petites tomates pour l'accompagner.

Roulade d'épinards

Cette simple purée d'épinards et d'œufs cuite au four et enroulée autour d'une garniture crémeuse au poivron rouge constitue un accompagnement original et coloré. Vous pouvez la préparer à l'avance et la réchauffer avant de servir.

POUR 4 PERSONNES
450 g (1 lb) d'épinards en branche, bien lavés et égouttés
muscade fraîchement râpée
1 belle noix de beurre
3 cuillerées à soupe de parmesan râpé
3 cuillerées à soupe de crème double
sel et poivre noir fraîchement moulu
2 œufs, blancs et jaunes séparés
1 petit poivron rouge, haché
200 g (7 oz) de fromage frais à l'ail et aux fines herbes

1 Tapissez une plaque à génoise de papier sulfurisé beurré. Préchauffez le four à 190 °C (375 °F).

2 Faites cuire les épinards dans très peu d'eau, puis égouttez-les bien, en pressant au travers d'une passoire avec le dos d'une louche. Hachez-les finement.

3 Mélangez les épinards à la muscade, au beurre, au parmesan, à la crème et à l'assaisonnement. Laissez refroidir 5 minutes, puis incorporez les jaunes d'œufs.

4 Montez les blancs en neige et incorporez-les délicatement aux épinards. Étalez régulièrement le mélange dans la plaque à génoise, et faites-le cuire 12 à 15 minutes, jusqu'à ce qu'il soit ferme.

5 Retournez le mélange sur un torchon propre et laissez-le refroidir 30 minutes sur la plaque.

6 Faites frémir le poivron à couvert dans 2 cuillerées à soupe d'eau jusqu'à ce qu'il soit juste tendre, puis réduisez-le en purée ou hachez-le finement. Mélangez au fromage frais et assaisonnez.

7 Quand les épinards ont refroidi, enlevez le papier. Coupez les bords durcis et tartinez avec la crème de poivron rouge.

8 Roulez soigneusement la crêpe d'épinards et la garniture de poivron dans le torchon, laissez raffermir pendant 10 minutes, puis servez coupé en tranches épaisses, sur un long plat.

VARIANTE

Une purée épaisse de n'importe quel tubercule fera une base parfaite pour préparer la crêpe. Essayez la betterave cuite ou le panais, en relevant légèrement leur saveur avec une épice douce – cumin ou coriandre par exemple. Vous pouvez également remplacer la garniture au poivron par des champignons et des oignons finement hachés et sautés ou des carottes râpées mélangées à du fromage frais et des oignons nouveaux. Les roulades sont également délicieuses servies chaudes. Saupoudrez-les de fromage et faites cuire à four modéré pendant 15 minutes environ.

Champignons magnifiques

On trouve aujourd'hui une grande variété de champignons dans les supermarchés et chez les primeurs. Avec un assortiment de champignons, vous pouvez préparer une savoureuse garniture, se mariant à de nombreux plats, ou une sauce pour un plat de pâtes.

POUR 4 PERSONNES
15 g (1/2 oz) de champignons porcini ou de cèpes secs
4 cuillerées à soupe d'huile d'olive
225 g (8 oz) de champignons de couche miniature, coupés en deux ou émincés
115 g (4 oz) de pleurotes à la sauce d'huître
115 g (4 oz) de champignons parfumés chinois frais ou 25 g (1 oz) de champignons secs, trempés dans de l'eau
2 gousses d'ail, écrasées
2 cuillerées à thé de coriandre moulue
sel et poivre noir fraîchement moulu
3 cuillerées à soupe de persil frais haché

1 Si vous utilisez des porcini – qui donnent beaucoup de saveur –, recouvrez-les d'eau chaude et faites-les tremper 20 minutes.

2 Dans une grande casserole, faites chauffer l'huile et ajoutez tous les champignons, y compris les porcini si vous en utilisez. Mélangez bien, couvrez et laissez cuire doucement pendant 5 minutes.

3 Incorporez l'ail, la coriandre et l'assaisonnement. Laissez cuire encore 5 minutes, jusqu'à ce que les champignons soient tendres et que le jus ait réduit.

4 Incorporez le persil, laissez refroidir un peu et servez.

Sauce tomate

Cette sauce de base peut servir à cuisiner de nombreux plats ou être présentée sur la table en accompagnement. Pour plus de saveur, ajoutez un poivron rouge ou un jus et un zeste d'orange, des herbes fraîches hachées telles que le basilic. Si vous aimez les saveurs relevées, ajoutez un peu de piment.

POUR 4 À 6 PERSONNES
1 oignon haché
2 gousses d'ail hachées
1 petit poivron rouge, haché (facultatif)
3 cuillerées à soupe d'huile d'olive
675 g (1 1/2 lb) de tomates fraîches, pelées et hachées ou 400 g (14 oz) de tomates concassées en boîte
15 g (1/2 oz) de sucre cristallisé
sel et poivre noir fraîchement moulu
2 cuillerées à soupe d'herbes fraîches hachées (basilic, persil, marjolaine par exemple) (facultatif)

1 Faites doucement revenir l'oignon, l'ail et le poivron dans l'huile pendant 5 minutes, jusqu'à ce qu'ils soient tendres.

2 Ajoutez les tomates, le sucre et assaisonnez. Portez à ébullition, couvrez et laissez frémir 15 à 20 minutes.

3 La sauce doit être épaisse et pulpeuse. Si elle est un peu légère, faites-la bouillir à découvert pour la faire réduire. Incorporez les herbes fraîches si vous en utilisez, puis vérifiez l'assaisonnement.

LE CONSEIL DU CHEF

Préparez cette sauce en grande quantité et congelez-la en portions.

Gombos épicés aux amandes à l'indienne

De par leur forme particulière, les gombos sont surnommés « doigts de dame ». Ce légume est un ingrédient courant de beaucoup de cuisines du monde entier, mais c'est sans doute avec les épices indiennes qu'il s'accorde le mieux.

POUR 2 À 4 PERSONNES
225 g (8 oz) de gombos
50 g (2 oz) d'amandes mondées hachées
25 g (1 oz) de beurre
1 cuillerée à soupe d'huile de tournesol
2 gousses d'ail écrasées
2,5 cm (1 po) de gingembre frais râpé
1 cuillerée à thé de graines de cumin
1 cuillerée à thé de coriandre moulue
1 cuillerée à thé de paprika

1 Coupez seulement les pointes des gombos. Ces légumes contiennent une substance visqueuse qui s'écoule si on les prépare trop longtemps à l'avance : coupez-les donc juste avant de les cuire.

2 Dans un plat peu profond résistant à la chaleur, faites dorer légèrement les amandes dans du beurre, et réservez.

3 Ajoutez l'huile et faites revenir les gombos pendant 2 minutes.

4 Ajoutez l'ail et le gingembre et faites doucement sauter pendant 1 minute, puis ajoutez les épices et laissez encore cuire 1 minute, sans cesser de remuer.

5 Versez environ 300 ml (1 1/4 tasse) d'eau. Assaisonnez bien, couvrez et laissez frémir 5 minutes environ, jusqu'à ce que les gombos soient juste tendres.

6 Enfin, incorporez les amandes grillées et servez chaud.

VARIANTE

Les gombos sont également très utilisés dans la cuisine louisianaise. Ils sont notamment l'ingrédient essentiel du gumbo (nom africain importé aux États-Unis par les esclaves), un ragoût épais et épicé servi sur du riz brûlant. Vous pouvez préparer un ragoût de légumes qui rappelle la ratatouille en utilisant le gombo à la place de l'aubergine et en ajoutant des oignons, du poivron, de l'ail et des tomates. Vous obtiendrez aussi un plat délicieux et coloré en coupant les gombos en rondelles, en les faisant sauter avec de l'ail et des épices, puis en les incorporant dans un pilaf ou un riz basmati avec des bouquets de chou-fleur et des carottes. Servez avec des popadums émiettés et grillés.

Chou poêlé

Le chou frisé est un légume souvent sous-estimé. Il est pourtant délicieux, à condition de le cuire très peu dans un wok, à la chinoise. N'importe quelle variété convient, mais c'est peut-être avec le chou frisé de Milan que vous obtiendrez la meilleure saveur.

POUR 4 PERSONNES
1/2 petit chou frisé
2 cuillerées à soupe d'huile de tournesol
1 cuillerée à soupe de sauce de soja claire
1 cuillerée à soupe de jus de citron frais (facultatif)
2 cuillerées à thé de graines de cumin
poivre noir fraîchement moulu

1 Coupez le cœur du chou et émincez finement les feuilles.

2 Faites chauffer l'huile dans un wok, puis faites sauter le chou pendant 2 minutes environ.

3 Versez la sauce de soja, éventuellement le jus de citron, les graines de cumin et le poivre.

Purée de pommes de terre

Si une purée ordinaire vous semble triste, essayez de l'accommoder à la française, en suivant cette recette : vous la transformerez en un plat irrésistible !

POUR 4 PERSONNES
1 kg (2 lb) de pommes de terres, pelées et coupées en dés
3 cuillerées à soupe d'huile d'olive vierge extra
150 ml (2/3 tasse) environ de lait
muscade fraîchement râpée
sel et poivre noir fraîchement moulu
quelques feuilles de basilic frais ou quelques tiges de persil frais hachées

LE CONSEIL DU CHEF

C'est le choix de la variété de pomme de terre qui détermine la qualité d'une purée. Une variété trop ferme ne sera pas légère et gonflante, et une pomme de terre qui se défait trop vite à la cuisson sera filante une fois réduite en purée. Des informations sur le mode de cuisson approprié figurent sur la plupart des sacs de pommes de terre. En général, les pommes de terre rouges, les rosevals, donnent de bonnes purées.

1 Faites bouillir les pommes de terre jusqu'à ce qu'elles soient juste tendres et pas trop défaites. Égouttez bien. Pressez les pommes de terre dans un presse-purée ou écrasez-les avec un ustensile à main. Ne les passez pas au robot ménager car vous obtiendriez une espèce de mastic.

2 Incorporez l'huile d'olive aux pommes de terre, et juste assez de lait chaud pour obtenir une purée lisse et épaisse.

3 Assaisonnez de sel, de poivre et de muscade à votre goût, puis incorporez les herbes fraîches. Disposez dans un plat de service chaud, et servez immédiatement.

Poivrons grillés à l'huile 🌿

Les poivrons prennent une délicieuse saveur fumée lorsqu'on les fait rôtir au four très chaud. La peau s'enlève facilement et la chair se conserve dans de l'huile d'olive. Utilisez ensuite cette huile pour préparer vos vinaigrettes, elle parfumera magnifiquement vos salades.

6 gros poivrons de couleurs différentes
450 ml (2 tasses) d'huile d'olive

1 Préchauffez le four à 230 °C (450 °F) environ. Graissez légèrement une grande plaque à pâtisserie.

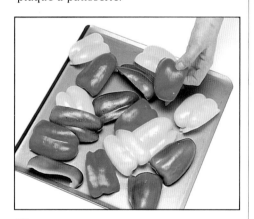

2 Coupez les poivrons en quatre, retirez les cœurs et les graines, puis aplatissez-les avec le dos de la main. Disposez-les, côté peau vers le haut, sur la plaque à pâtisserie.

3 Faites griller les poivrons dans le haut du four jusqu'à ce que les peaux noircissent et se rident.

4 Sortez les poivrons du four, couvrez-les avec un torchon propre jusqu'à ce qu'ils soient tièdes, puis enlevez la peau.

5 Émincez les poivrons et disposez-les dans un bocal à conserves propre.

LE CONSEIL DU CHEF

Ces poivrons font des cadeaux agréables, surtout à l'époque de Noël. Vous pouvez acheter des bocaux à conserves spéciaux dans les magasins d'équipement pour la cuisine ou récupérer de grands bocaux à confiture. Stérilisez-les en les plaçant ouverture vers le bas dans un four doux pendant 30 minutes environ. Remplissez les bocaux tant qu'ils sont encore tièdes avec les poivrons émincés, et complétez avec une huile d'olive de bonne qualité. Fermez immédiatement le couvercle.

6 Recouvrez complètement les poivrons d'huile, puis fermez le couvercle hermétiquement.

7 Une fois le bocal ouvert, vous pouvez conserver les poivrons deux semaines au réfrigérateur. Ne jetez pas l'huile mais utilisez-la pour les vinaigrettes ou la cuisson.

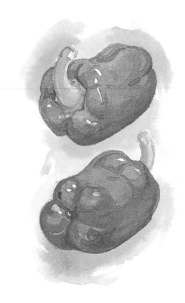

Pommes chips

Ces pommes chips, moins grasses que les frites, sont très appréciées des enfants.

POUR 4 À 6 PERSONNES
6 pommes de terre à four moyennes
150 ml (2/3 tasse) d'huile d'olive
1 cuillerée à thé d'herbes de Provence sèches (facultatif)
gros sel de mer

1 Préchauffez le four à 230 ˚C (450 ˚F) environ. Placez un plat à rôtir légèrement huilé dans le four jusqu'à ce qu'il soit bien chaud.

2 Coupez les pommes de terre en moitiés dans le sens de la longueur, puis en longues tranches fines. Badigeonnez-les légèrement d'huile de tous les côtés.

3 Quand le four est bien chaud, retirez le plat avec précaution et répartissez les tranches de pommes de terre sur une seule épaisseur.

4 Saupoudrez les pommes de terre d'herbes de Provence et de sel, et faites-les cuire 20 minutes environ, jusqu'à ce qu'elles soient dorées, croustillantes et un peu gonflées. Servez immédiatement.

VARIANTE

Les panais peuvent aussi être préparés en chips au four. Choisissez de gros panais : ils ont souvent plus de saveur. Émincez-les finement en diagonale et rôtissez-les comme indiqué ci-dessus. Surveillez la cuisson car ils cuisent plus vite que les pommes de terre. Servis avec des œufs au plat, des champignons et des tomates, ils feront d'excellents repas appréciés des petits et des grands !

Dhal chaud et épicé

Les pois cassés jaunes ne sont pas seulement réservés aux soupes ; pour vous en convaincre, essayez ce plat d'inspiration indienne. Servez-le avec du riz, des chappatis ou des naans et le plat principal de votre choix – des œufs, des aubergines sautées ou un assortiment de champignons sautés.

POUR 4 À 6 PERSONNES
225 g (8 oz) de pois cassés jaunes
2 oignons hachés
1 grande feuille de laurier
600 ml (2 1/2 tasses) de bouillon ou d'eau
sel et poivre noir fraîchement moulu
2 cuillerées à thé de graines de moutarde noire
2 cuillerées à soupe de beurre fondu
1 gousse d'ail écrasée
2,5 cm (1 po) de gingembre frais râpé
1 petit poivron vert émincé
1 cuillerée à thé de curcuma moulu
1 cuillerée à thé de garam masala ou de curry doux en poudre
3 tomates, pelées et concassées
coriandre ou persil frais, pour servir

1 Dans une casserole, mettez les pois cassés, un oignon et la feuille de laurier avec le bouillon ou l'eau, et couvrez. Laissez frémir 25 minutes. Assaisonnez.

2 Dans une poêle, faites revenir les graines de moutarde dans le beurre pendant 30 secondes environ, jusqu'à ce qu'elles commencent à sauter, puis ajoutez l'oignon restant, ainsi que l'ail, le gingembre et le poivron vert.

3 Faites sauter le tout pendant 5 minutes, jusqu'à ce que les ingrédients soient tendres, puis incorporez les épices restantes et laissez encore cuire quelques secondes.

4 Ajoutez les pois cassés, les tomates et un peu d'eau si nécessaire. Couvrez et laissez frémir 10 minutes, rectifiez l'assaisonnement et servez chaud, garni de coriandre ou de persil.

Paillassons de pommes de terre

Ces petites crêpes de pommes de terre remplacent de façon délicieuse et insolite les frites ou les chips.

POUR 24 PAILLASSONS ENVIRON
1 kg (2 lb) de pommes de terre, pelées et grossièrement râpées
40 g (1 1/2 oz) de farine à gâteaux (avec levure)
2 œufs
1 cuillerée à soupe d'oignon râpé
muscade fraîchement râpée
sel et poivre noir fraîchement moulu
huile de friture

1 Faites tremper les pommes de terre râpées dans une grande quantité d'eau pendant 1 heure, puis égouttez-les bien.

2 Battez la farine, les œufs, l'oignon et la muscade, puis incorporez les pommes de terre. Assaisonnez bien.

3 Faites chauffer quelques millimètres d'huile dans une poêle à fond épais, et déposez 1 cuillerée à soupe de mélange aux pommes de terre dans la poêle, en aplatissant si nécessaire.

4 Laissez cuire jusqu'à ce que les pommes de terre soient dorées, puis retournez la crêpe pour la faire cuire sur l'autre côté. Égouttez sur du papier absorbant et maintenez au chaud, à découvert, dans le four. Répétez l'opération avec le reste du mélange.

Sauté d'aubergine

Ce plat d'inspiration orientale constitue une garniture rapide à préparer. Le poivron rouge et les haricots noirs lui donnent une touche exotique et colorée. Les haricots noirs salés sont vendus soit secs, soit en boîte.

POUR 4 PERSONNES
2 cuillerées à soupe d'huile d'arachide
1 aubergine émincée
2 oignons nouveaux, coupés en biseau
1 gousse d'ail écrasée
1 petit poivron rouge émincé
2 cuillerées à soupe de sauce d'huître
1 cuillerée à soupe de haricots noirs chinois salés, trempés dans de l'eau s'ils sont secs
poivre noir fraîchement moulu
1 cuillerée à soupe de coriandre ou de persil frais hachés, pour garnir

1 Faites chauffer l'huile dans un wok et faites sauter l'aubergine 2 minutes. Ajoutez les oignons, l'ail et le poivron, et laissez cuire encore 2 minutes.

2 Ajoutez la sauce d'huître, les haricots noirs et le poivre. Laissez cuire 1 minute encore, poivrez et servez avec de la coriandre ou du persil frais.

Petits pois et laitue

Ne jetez plus les feuilles extérieures de la laitue, même si elles sont dures! Elles sont délicieuses émincées et cuites avec des petits pois.

POUR 4 PERSONNES
6 feuilles extérieures de laitue iceberg, romaine ou autre
1 petit oignon ou 1 échalote émincés
25 g (1 oz) de beurre ou de margarine de tournesol
225 g (8 oz) de petits pois surgelés
muscade fraîchement râpée
sel et poivre noir fraîchement moulu

1 Retirez les feuilles extérieures de la laitue et lavez-les bien. Déchirez-les grossièrement à la main.

2 Dans une casserole, faites sauter la laitue et l'oignon ou l'échalote dans le beurre ou la margarine pendant 3 minutes.

3 Ajoutez les petits pois, le sel, le poivre et la muscade à votre goût. Mélangez, couvrez et laissez frémir 5 minutes environ.

Pommes de terre sautées

Voici une façon savoureuse d'accommoder des restes de pommes de terre à la vapeur.

POUR 4 PERSONNES
4 cuillerées à soupe d'huile de tournesol
  ou d'olive
450 g (1 lb) environ de pommes de terre,
  cuites et coupées en dés
1 petit oignon haché
sel et poivre noir fraîchement moulu

1 Faites chauffer l'huile dans une poêle, puis disposez les pommes de terre en une seule couche. Répartissez l'oignon dessus et assaisonnez.

2 Faites frire les pommes de terre à feu modéré jusqu'à ce que le dessous soit brun, en appuyant avec une cuillère ou une spatule pour les écraser un peu.

3 Quand les pommes de terre sont joliment dorées, retournez-les par sections et faites-les frire de l'autre côté, en appuyant encore une fois. Servez lorsqu'elles sont bien chaudes de toutes parts et légèrement croustillantes.

Gratin dauphinois de pommes de terre et de panais

Ces pommes de terre et panais cuits doucement au four dans un mélange crémeux saupoudré de fromage râpé peuvent être servis en garniture ou pour un dîner léger.

POUR 4 À 6 PERSONNES
1 kg (2 lb) de pommes de terre, en fines rondelles
1 oignon, finement émincé
450 g (1 lb) de panais, en fines rondelles
2 gousses d'ail écrasées
4 cuillerées à thé de beurre
125g (4 oz) de gruyère ou de cheddar râpés
muscade fraîchement râpée
sel et poivre noir fraîchement moulu
300 ml (1 1/4 tasse) de crème
300 ml (1 1/4 tasse) de lait

1 Graissez légèrement un grand plat peu profond allant au four. Préchauffez le four à 180 °C (350 °F).

2 Disposez les pommes de terres, l'oignon et les panais en couches. Parsemez entre celles-ci l'ail et le beurre, et saupoudrez de presque tout le fromage, de la muscade, du sel et du poivre.

3 Faites chauffer la crème et le lait dans une casserole jusqu'à ce que le mélange soit chaud mais pas bouillant. Versez-le lentement sur les légumes, en vous assurant qu'il traverse toutes les couches.

4 Saupoudrez les légumes avec le reste de fromage et râpez encore un peu de muscade sur le dessus. Mettez au four 1 heure environ, jusqu'à ce que le fromage soit doré et fasse des bulles.

Asperges mimosa

Mélangez des pousses d'asperges fraîches et tendres à une sauce au beurre, et complétez par un œuf haché et une vinaigrette au cerfeuil : vous obtenez un joli plat, idéal pour une entrée.

POUR 2 PERSONNES
225 g (8 oz) d'asperges fraîches
sel
poivre noir fraîchement moulu
50 g (2 oz) de beurre fondu
1 jet de jus de citron frais
2 œufs durs hachés
1 cuillerée à soupe de cerfeuil frais haché

1 Recoupez les asperges et pelez la peau épaisse de la base avec un couteau économe.

2 Pochez les asperges dans de l'eau légèrement salée pendant 3 à 6 minutes, jusqu'à ce qu'elles soient juste tendres. Utilisez une casserole profonde si vous n'avez pas de cuiseur à asperges.

3 Égouttez bien les asperges et disposez-les sur deux petites assiettes ou une grande. Assaisonnez bien.

4 Mélangez le beurre fondu au jus de citron. Versez sur les asperges, saupoudrez d'œufs hachés et garnissez de cerfeuil. Servez tiède.

Choux de Bruxelles sautés

Les choux de Bruxelles sont délicieux lorsqu'on les fait sauter rapidement : ils gardent toute leur saveur et leur texture croquante. Choisissez des petits choux car ils sont plus parfumés.

POUR 6 PERSONNES
2 cuillerées à soupe d'huile d'arachide
450 g (1 lb) de petits choux de Bruxelles, épluchés et coupés en deux
3 oignons nouveaux émincés
2 gousses d'ail écrasées
1 petit poivron jaune émincé
2 cuillerées à soupe de sauce de soja claire
1 cuillerée à soupe d'huile de sésame
1 bonne pincée de sucre cristallisé
poivre noir fraîchement moulu
2 cuillerées à soupe de graines de sésame grillées

1 Faites chauffer l'huile dans un wok, puis faites sauter les choux de Bruxelles pendant 2 minutes.

2 Ajoutez les oignons, l'ail et le poivron, et faites sauter 2 minutes encore, en mélangeant toujours.

3 Versez la sauce de soja, l'huile de sésame, le sucre, et poivrez. Parsemez de graines de sésame et servez immédiatement.

Pommes de terre rôties

Ces belles pommes de terre rôties sont idéales pour les dîners de réception ou les occasions spéciales, à Noël par exemple. Pour obtenir les meilleurs résultats, utilisez des pommes de terre à cuire au four de bonne qualité.

POUR 4 PERSONNES
huile d'olive ou de tournesol
4 pommes de terre pelées et coupées en
    deux dans le sens de la longueur
sel et poivre noir fraîchement moulu
1 cuillerée à soupe de chapelure sèche

1 Versez assez d'huile dans un petit plat allant au four pour recouvrir le fond, puis faites-la chauffer au four à 200 °C (400 °F).

2 Faites bouillir les pommes de terre pendant 5 minutes, puis égouttez-les. Laissez-les un peu refroidir et faites quatre entailles sur le côté arrondi.

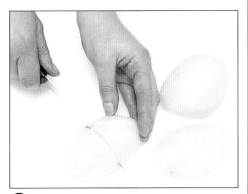

3 Disposez les pommes de terre dans le plat chauffé et arrosez avec l'huile chaude. Assaisonnez bien et remettez les pommes de terre au four pendant 20 minutes environ.

4 Retirez les pommes de terre du four, ouvrez légèrement les fentes et arrosez d'huile chaude. Saupoudrez légèrement le dessus des pommes de terre avec la chapelure et remettez au four 15 minutes environ, jusqu'à ce qu'elles soient dorées et croustillantes.

LE CONSEIL DU CHEF

Il existe de nombreuses manières de cuire les pommes de terre au four mais avant tout, c'est le choix des pommes de terre qui est important. Sélectionnez une variété assez ferme mais quand même un peu farineuse. Les informations figurant sur le sac devraient vous guider dans votre choix. L'huile aussi a son importance : optez soit pour une huile neutre, comme l'huile de tournesol ou d'arachide, soit pour une huile très parfumée, comme l'huile d'olive. Juste avant de servir, versez un tout petit peu d'huile de sésame, de noix ou de noisettes : elle donnera aux pommes rôties une délicieuse saveur de noix.

Fenouil et tomates braisés 🍃

Le fenouil, légume très peu exploité, est excellent cuit dans une sauce tomate légère. Faites cuire ce plat en le laissant frémir doucement sur le dessus de la cuisinière ou en le mettant au four à chaleur moyenne.

POUR 4 À 6 PERSONNES
2 bulbes de fenouil
1 petit oignon ou 3 échalotes émincés
1 gousse d'ail écrasée
2 cuillerées à soupe d'huile d'olive
4 tomates de taille moyenne, pelées et concassées
3 cuillerées à soupe de vin blanc sec
1 cuillerée à soupe de marjolaine fraîche hachée
150 ml (2/3 tasse) de bouillon ou d'eau
sel et poivre noir fraîchement moulu

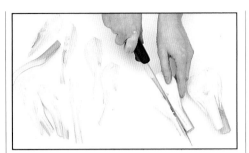

1 Pelez le fenouil, coupez-le en quartiers et réservez les épluchures.

2 Dans un plat allant sur le feu, faites légèrement sauter le fenouil avec l'oignon ou les échalotes et l'ail dans l'huile pendant 5 minutes.

3 Ajoutez les tomates, le vin, la marjolaine et le bouillon ou l'eau. Assaisonnez.

4 Couvrez et laissez frémir très doucement pendant 20 minutes, ou enfournez dans un four préchauffé à 190 °C (375 °F) pendant 30 minutes. Garnissez avec les épluchures de fenouil réservées et servez immédiatement.

Légumes d'hiver crémeux

Un mélange de tubercules – carottes, panais et navets ou rutabagas – constitue une délicieuse garniture d'hiver.

POUR 4 À 6 PERSONNES
225 g (8 oz) de carottes hachées
225 g (8 oz) de panais hachés
1 petit rutabaga haché
25 g (1 oz) de beurre
2 cuillerées à thé de pâte de curry doux
sel et poivre noir fraîchement moulu
115 g (4 oz) de fromage frais
1 cuillerée à soupe de ciboulette fraîche hachée

1 Faites bouillir les légumes dans de l'eau salée jusqu'à ce qu'ils soient tendres. Égouttez-les, puis remettez-les dans la casserole avec le beurre, la pâte de curry et l'assaisonnement.

2 Écrasez légèrement les légumes à la fourchette pour obtenir une purée contenant de gros morceaux.

3 Incorporez le fromage frais et la ciboulette. Rectifiez l'assaisonnement et servez chaud. Vous pouvez préparer ce plat à l'avance et le réchauffer au dernier moment.

LE CONSEIL DU CHEF

Les purées de légumes sont des garnitures idéales pour un plat un peu sec : elles apportent un contraste de texture et de couleur. Les choux de Bruxelles, les carottes, les petits pois, les brocolis ou les poireaux font de délicieuses purées.

RÉCEPTIONS
& PIQUES-NIQUES

Plats simples pour une sortie en plein air ou recettes plus
sophistiqués pour un repas de fête : vous découvrirez
dans ce chapitre des idées pour toutes les occasions particulières !

Strudel de pommes de terre épicé

Un mélange de légumes savoureux agrémenté d'une sauce crémeuse et enveloppé d'une pâte à filo croustillante : voilà un plat idéal pour un dîner familial original.

POUR 4 PERSONNES
1 oignon haché
2 carottes grossièrement râpées
1 courgette en julienne
350 g (12 oz) de pommes de terre
   en julienne
65 g (2 1/2 oz) de beurre
2 cuillerées à thé de pâte de curry doux
1/2 cuillerée à thé de thym sec
150 g (2/3 tasse) d'eau
sel et poivre noir fraîchement moulu
1 œuf, battu
2 cuillerées à soupe de crème
50 g (2 oz) de cheddar râpé
8 feuilles de pâte à filo
graines de sésame, pour saupoudrer

1 Faites revenir les légumes dans la moitié du beurre pendant 5 minutes, jusqu'à ce qu'ils soient tendres, puis ajoutez la pâte de curry et laissez cuire 1 minute encore.

2 Ajoutez le thym, l'eau et l'assaisonnement. Laissez cuire encore 10 minutes à petit feu, à découvert.

3 Laissez refroidir le mélange et incorporez l'œuf, la crème et le fromage. Mettez au réfrigérateur.

4 Faites fondre le beurre restant et étalez 4 feuilles de pâte à filo, en les faisant légèrement chevaucher pour obtenir un grand rectangle. Badigeonnez de beurre et posez les autres feuilles dessus. Badigeonnez encore.

5 Disposez la garniture près d'un bord long, puis roulez la pâte. Façonnez le roulé en cercle et badigeonnez avec le restant de beurre. Saupoudrez avec les graines de sésame, et posez le tout sur une plaque à pâtisserie.

6 Préchauffez le four à 190 °C (375 °F), puis faites cuire le strudel 25 minutes environ. Laissez reposer 5 minutes.

Salade du Couronnement

La célèbre sauce de cette salade a été créée pour le dîner de couronnement de la reine Elizabeth II. Elle s'accorde à merveille avec les œufs et les légumes.

POUR 6 PERSONNES
450 g (1 lb) de pommes de terre nouvelles
sel
3 cuillerées à soupe de vinaigrette
3 oignons nouveaux hachés
poivre noir fraîchement moulu
6 œufs durs, coupés en deux
feuilles de laitue frisée, pour servir
1/4 de concombre, coupé en rondelles puis en lanières
6 gros radis, en rondelles
1 paquet de cresson

POUR LA SAUCE
2 cuillerées à soupe d'huile d'olive
1 petit oignon, haché
1 cuillerée à soupe de curry doux en poudre ou de mélange d'épices korma
2 cuillerées à thé de purée de tomates
2 cuillerées à soupe de jus de citron
2 cuillerées à soupe de sherry
300 ml (1 1/4 tasse) de mayonnaise
150 ml (3/4 tasse) de yaourt nature

1 Faites bouillir les pommes de terre dans de l'eau salée jusqu'à ce qu'elles soient tendres. Égouttez-les et versez dessus la vinaigrette.

2 Laissez refroidir les pommes de terre, en y ajoutant les oignons nouveaux et l'assaisonnement. Laissez refroidir complètement.

3 Pendant ce temps, préparez la sauce. Faites chauffer l'huile et faites revenir l'oignon pendant 3 minutes, jusqu'à ce qu'il soit tendre. Incorporez les épices en poudre et laissez cuire 1 minute encore. Ajoutez tous les autres ingrédients.

4 Mélangez la sauce aux pommes de terre. Ajoutez les œufs, puis mettez au réfrigérateur. Bordez le tour d'un plat de service de feuilles de laitue et disposez la salade au centre. Répartissez dessus le concombre, les radis et le cresson.

Pâtes et champignons sauvages au four

Ces pâtes cuites au four avec une garniture croustillante et une sauce béchamel aux champignons font un plat absolument délicieux!

POUR 4 À 6 PERSONNES
200 g (7 oz) de pâtes fantaisie
600 ml (2 1/2 tasses) de lait
1 feuille de laurier
1 petit oignon piqué de 6 clous de girofle
500 g (2 oz) de beurre
3 cuillerées à soupe de chapelure
2 cuillerées à thé d'herbes de Provence sèches
40 g (1 1/2 oz) de farine
4 cuillerées à soupe de parmesan râpé
muscade fraîchement râpée
sel et poivre noir fraîchement moulu
2 œufs battus
15 g (1/2 oz) de porcini séchés
350 g (12 oz) de champignons de couche émincés
2 gousses d'ail, écrasées
2 cuillerées à soupe d'huile d'olive
2 cuillerées à soupe de persil frais haché

1 Faites cuire les pâtes conformément aux instructions figurant sur le paquet. Égouttez et réservez. Faites chauffer le lait avec la feuille de laurier et l'oignon piqué de girofle, et laissez infuser 15 minutes. Retirez la feuille de laurier et l'oignon.

2 Faites fondre le beurre dans une casserole et utilisez-en un peu pour badigeonner l'intérieur d'un grand plat ovale allant au four. Mélangez la chapelure et les herbes, et utilisez-les pour chemiser l'intérieur du plat.

3 Incorporez la farine au beurre, laissez cuire 1 minute, puis ajoutez lentement le lait chaud pour obtenir une sauce lisse. Ajoutez le fromage, la muscade, l'assaisonnement et les pâtes cuites. Laissez refroidir 5 minutes, puis incorporez les œufs battus.

4 Faites ramollir les porcini dans un peu d'eau chaude. Réservez le jus et hachez les porcini.

5 Faites sauter les porcini avec les champignons émincés et l'ail dans l'huile pendant 3 minutes environ. Assaisonnez bien, incorporez le jus et laissez réduire. Ajoutez le persil.

6 Disposez une couche de pâtes dans le plat. Répartissez dessus les champignons, puis disposez une nouvelle couche de pâtes, etc.; terminez par des pâtes. Recouvrez de papier d'aluminium graissé. Préchauffez le four à 190 °C (375 °F) et faites cuire 25 à 30 minutes. Laissez reposer 5 minutes avant de démouler pour servir.

Bateaux d'aubergines

Vous pouvez préparer ces aubergines à l'avance et les faire cuire juste avant de servir. La garniture de noisettes contraste agréablement avec l'onctuosité de la chair d'aubergine.

POUR 4 PERSONNES
115 g (4 oz) de riz basmati brun
2 aubergines de taille moyenne, coupées en deux dans le sens de la longueur
1 oignon haché
2 gousses d'ail écrasées
1 petit poivron vert haché
115 g (4 oz) de champignons émincés
3 cuillerées à soupe d'huile d'olive
75 g (3 oz) de cheddar râpé
1 œuf battu
1/2 cuillerée à thé de marjolaine
sel et poivre noir fraîchement moulu
2 cuillerées à soupe de noisettes hachées

1 Faites cuire le riz conformément aux instructions figurant sur le paquet, égouttez puis laissez refroidir. Évidez les aubergines et hachez la chair. Faites blanchir les moitiés évidées pendant 2 minutes, puis égouttez à l'envers.

2 Faites sauter la chair d'aubergine, l'oignon, l'ail, le poivron et les champignons dans l'huile pendant 5 minutes environ.

3 Incorporez le riz, le fromage, l'œuf, la marjolaine et l'assaisonnement. Disposez les aubergines évidées dans un plat allant au four. Remplissez-les avec la garniture. Saupoudrez les noisettes dessus. Mettez au réfrigérateur jusqu'au moment de mettre au four.

4 Préchauffez le four à 190 °C (375 °F) et faites cuire les aubergines 25 minutes, jusqu'à ce que la garniture ait pris et que les noisettes soient dorées.

Légumes grillés et leur sauce

Ces légumes, cuits au barbecue, sont délicieux accompagnés d'une sauce aux tomates fraîches.

POUR 4 PERSONNES
1 grosse patate douce, coupée en tranches épaisses
2 courgettes, coupées en deux dans le sens de la longueur
sel
2 poivrons rouges coupés en quatre
huile d'olive, pour badigeonner
POUR LA SAUCE
2 grosses tomates pelées et hachées
2 oignons nouveaux finement hachés
1 petit piment vert haché
jus de 1 petit citron vert
2 cuillerées à soupe de coriandre fraîche hachée
sel et poivre noir fraîchement moulu

1 Faites cuire la patate dans de l'eau bouillante pendant 5 minutes. Égouttez et laissez refroidir.

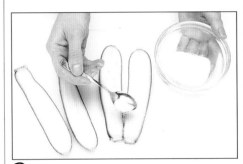

2 Saupoudrez les courgettes d'un peu de sel, laissez-les égoutter dans une passoire pendant 20 minutes, puis séchez-les.

3 Préparez la sauce en mélangeant tous les ingrédients. Laissez reposer 30 minutes.

4 Préparez le barbecue jusqu'à ce que les braises rougeoient ou préchauffez un gril. Badigeonnez les rondelles de patate, les courgettes et les poivrons avec l'huile et faites-les cuire jusqu'à ce qu'ils soient légèrement noircis et un peu tendres, en badigeonnant à nouveau d'huile et en les retournant une fois au moins. Servez chaud accompagné de la sauce.

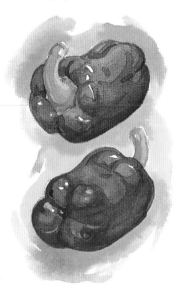

Terrine de légumes du jardin

Parfaite pour un pique-nique ou un buffet familial, cette terrine de légumes colorés, légèrement crémeuse, est enveloppée dans de belles feuilles d'épinards.

POUR 6 PERSONNES
225g (8 oz) d'épinards frais en branches
3 carottes, coupées en bâtonnets
3 ou 4 poireaux longs et fins
115 g (4 oz) environ de haricots verts longs, épluchés
1 poivron rouge émincé
2 courgettes coupées en bâtonnets
115 g (4 oz) de bouquets de brocolis
POUR LA SAUCE
1 œuf entier et 2 jaunes
300 ml (1 1/4 tasse) de crème
muscade fraîchement râpée
1 cuillerée à thé de sel
50 g (2 oz) de cheddar râpé
huile, pour le moule
poivre noir fraîchement moulu

1 Faites blanchir les feuilles d'épinards dans de l'eau bouillante, égouttez, rafraîchissez dans de l'eau froide et égouttez encore – attention à ne pas casser les feuilles –, puis tamponnez-les soigneusement avec du papier absorbant.

2 Graissez un moule à pain de 1 kg (2 lb) et doublez le fond avec une feuille de papier sulfurisé. Doublez le moule avec les feuilles d'épinard en les laissant dépasser du moule et en éliminant les tiges épaisses.

3 Faites blanchir le reste des légumes dans de l'eau bouillante salée, jusqu'à ce qu'ils soient juste tendres. Égouttez et rafraîchissez dans de l'eau froide, puis, une fois refroidis, tamponnez-les pour les sécher.

4 Placez les légumes dans le moule à pain de manière à composer un mélange coloré, en mettant tous les bâtonnets dans le sens de la longueur.

5 Fouettez les ingrédients de la sauce et versez lentement sur les légumes. Tapotez le moule à pain pour que la sauce passe entre tous les interstices. Repliez les feuilles d'épinards vers le milieu de la terrine.

6 Recouvrez la terrine d'une feuille de papier sulfurisé graissée, puis faites cuire au bain-marie à 180 °C (350 °F) pendant 1 heure à 1 h 15, jusqu'à ce que le mélange ait pris.

7 Laissez refroidir la terrine dans le moule, puis mettez au réfrigérateur. Démouler et servez en tranches épaisses.

Galette de crêpes

Préparez un lot de crêpes légères et disposez-les en couches alternées avec une garniture de lentilles savoureuse. Servez avec une sauce tomate maison.

POUR 6 PERSONNES
115 g (4 oz) de farine
1 bonne pincée de sel
1 œuf
300 ml (1 1/4 tasse) de babeurre ou de mélange de lait et d'eau
huile pour la cuisson

POUR LA GARNITURE
2 poireaux, finement émincés
1 petit bulbe de fenouil, finement émincé
4 cuillerées à soupe d'huile d'olive
150 g (6 oz) de lentilles rouges
150 ml (2/3 tasse) de vin blanc sec
400 g (14 oz) de tomates concassées en boîte
300 ml (1 1/4 tasse) de bouillon
1 cuillerée à thé d'origan sec
sel et poivre noir fraîchement moulu
1 oignon, émincé
225 g (8 oz) de champignons émincés
225 g (8 oz) d'épinards en branche congelés, décongelés et essorés
200 g (7 oz) de fromage en crème allégé
50 g (2 oz) de parmesan, fraîchement râpé

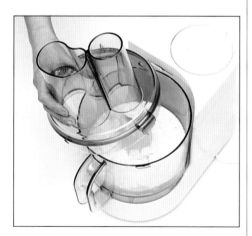

1 Préparez la pâte à crêpes en mélangeant la farine, le sel, l'œuf et le babeurre ou le mélange de lait et d'eau dans un robot ménager jusqu'à obtenir un mélange lisse. Réservez.

2 Faites doucement revenir les poireaux et le fenouil dans la moitié de l'huile d'olive pendant 5 minutes, puis ajoutez les lentilles et le vin. Laissez cuire 1 minute puis ajoutez les tomates et le bouillon.

3 Portez à ébullition le mélange de poireaux et de fenouil, ajoutez l'origan, assaisonnez, puis laissez frémir 20 minutes, en mélangeant de temps en temps, jusqu'à ce que la sauce épaississe.

4 Faites revenir l'oignon et les champignons dans le reste d'huile d'olive pendant 5 minutes, ajoutez les épinards et faites chauffer. Assaisonnez bien, puis incorporez le fromage.

5 Dans une poêle antiadhésive bien chaude, faites environ 12 à 14 crêpes. Graissez légèrement un moule à cake rond et profond et garnissez le fond et les côtés avec une partie des crêpes, en les faisant se chevaucher.

6 Disposez le restant des crêpes en couches alternées avec les deux garnitures, en saupoudrant de parmesan entre les couches et en appuyant bien. Finissez par une crêpe sur le dessus.

7 Couvrez de papier d'aluminium et laissez reposer. Préchauffez le four à 190 °C (375 °F). Faites cuire 40 minutes environ, puis démoulez et laissez raffermir pendant 10 minutes avant de couper en quartiers.

LE CONSEIL DU CHEF

Vous pouvez congeler cette galette entière, mais il est préférable de congeler séparément les crêpes et la sauce. Séparez les crêpes les unes des autres avec du papier sulfurisé, emballez-les dans du papier d'aluminium, et mettez la sauce dans une boîte à part.

Bâtonnets de polenta aux fèves et à la tomate

La polenta, ou semoule de maïs, est un plat familial italien. Vous pouvez la servir chaude, dans des bols. Si vous attendez qu'elle refroidisse et qu'elle soit prise, vous pouvez aussi, comme pour cette recette, la couper en bâtonnets que vous ferez frire.

POUR 6 PERSONNES
1,75 l (7 1/2 tasses) de lait et d'eau mélangés
2 cuillerées à thé de sel
275 g (10 oz) de polenta
25 g (1 oz) de beurre, plus un peu pour tartiner
50 g (2 oz) de parmesan, fraîchement râpé
poivre noir fraîchement moulu
POUR LA SAUCE
1 oignon haché
2 gousses d'ail écrasées
2 cuillerées à soupe d'huile d'olive
400 g (14 oz) de tomates concassées en boîte
sel et poivre noir fraîchement moulu
1 bonne pincée de sauge sèche
225 g (8 oz) de fèves congelées

1 Dans une grande casserole, portez le lait et l'eau à ébullition. Incorporez le sel. Tout en mélangeant avec une cuillère en bois, versez la polenta dans le liquide bouillant en un filet régulier. Continuez à remuer jusqu'à ce que le mélange ait épaissi.

2 Baissez le feu et laissez frémir 20 minutes environ, en remuant fréquemment. Ajoutez le beurre, le fromage et l'assaisonnement.

3 Graissez légèrement un plat à rôtir peu profond et versez-y le mélange de polenta. Laissez refroidir, puis mettez au réfrigérateur toute la nuit.

4 Faites revenir l'oignon et l'ail dans l'huile pendant 5 minutes. Ajoutez les tomates, l'assaisonnement et la sauge, et laissez cuire 10 minutes. Ajoutez les fèves et laissez cuire 5 minutes.

5 Démoulez la polenta et coupez-la en bâtonnets. Faites-les dorer sur toutes les faces jusqu'à ce qu'ils soient croustillants. Tartinez avec un peu de beurre et servez accompagné de la garniture de tomates et de haricots.

Tartelettes au paprika et au parmesan

Ces jolies tartelettes roses garnies d'un mélange crémeux sont idéales pour un cocktail. Faites les fonds de tarte à l'avance et garnissez-les juste avant de servir.

POUR 18 TARTELETTES
225 g (8 oz) de farine
2 cuillerées à thé de paprika
150 ml (5 oz) de beurre ou de margarine de tournesol
40 g (1 1/2 oz) de parmesan, fraîchement râpé
eau, pour lier
POUR LA GARNITURE
350 g (12 oz) de fromage de chèvre
50 g (2 oz) de feuilles de roquette ou de cresson d'eau hachées
2 cuillerées à soupe de ciboulette fraîche hachée
sel et poivre noir fraîchement moulu
450 g (1 lb) de tomates en rondelles

1 Mélangez la farine avec le paprika et émiettez le beurre ou la margarine. Incorporez le parmesan et ajoutez de l'eau froide pour obtenir une pâte ferme.

2 Étalez la pâte et découpez à l'emporte-pièce 18 ronds. Piquez bien le fond avec une fourchette et mettez au réfrigérateur pendant que vous préchauffez le four à 190 °C (375 °F).

3 Faites cuire les fonds de tartelettes à blanc pendant 15 minutes jusqu'à ce qu'ils soient croustillants. Laissez-les refroidir sur une grille.

4 Battez le fromage avec la roquette ou le cresson, la ciboulette et l'assaisonnement. Coupez les tomates en rondelles, en comptant à peu près deux rondelles par tartelette.

5 Au moment de servir, disposez la garniture dans les fonds de tartelettes. Surmontez de rondelles de tomates et garnissez de quelques feuilles de roquette ou de cresson.

Satays au tofu

Servez ces dés de tofu grillés et croustillants avec une sauce à l'arachide de style thaï.

POUR 4 À 6 PERSONNES
400 g (7 oz) de tofu fumé en paquet
3 cuillerées à soupe de sauce de soja claire
2 cuillerées à thé d'huile de sésame
1 gousse d'ail écrasée
1 poivron jaune et 1 poivron rouge coupés en carrés
8 à 12 feuilles de laurier fraîches
huile de tournesol, pour griller
POUR LA SAUCE
2 oignons nouveaux finement hachés
2 gousses d'ail écrasées
1 bonne pincée de piment en poudre ou quelques gouttes de sauce de piment fort
1 cuillerée à thé de sucre cristallisé
1 cuillerée à soupe de vinaigre blanc
2 cuillerées à soupe de sauce de soja claire
3 cuillerées à soupe de beurre d'arachide avec morceaux

1 Faites tremper 8 à 12 bâtonnets à satay en bois dans de l'eau pendant 20 minutes, puis égouttez. Coupez le tofu en dés de la taille d'une bouchée et mélangez avec la sauce de soja, l'huile de sésame et l'ail. Couvrez et laissez mariner pendant 20 minutes.

2 Fouettez les ingrédients de la sauce jusqu'à ce qu'ils soient bien amalgamés. Évitez d'utiliser un robot ménager car la texture doit conserver un léger relief.

3 Égouttez le tofu et enfilez les cubes sur les bâtonnets avec les carrés de poivrons et les feuilles de laurier, les plus grandes feuilles coupées en deux.

4 Faites chauffer un gril ou un barbecue. Badigeonnez les satays d'huile. Faites griller, en retournant les brochettes de temps en temps, jusqu'à ce que les ingrédients soient brunis et croustillants. Servez chaud avec la sauce à tremper.

Moussaka de fête

La moussaka est toujours accueillie avec enthousiasme! C'est en plus un plat très pratique puisqu'il est meilleur réchauffé, ce qui vous permet de le préparer à l'avance.

POUR 8 PERSONNES
2 grosses aubergines en fines rondelles
6 courgettes en gros morceaux
150 ml (2/3 tasse) d'huile d'olive
675 g (1 1/2 lb) de pommes de terre finement émincées
2 oignons émincés
3 gousses d'ail écrasées
150 ml (2/3 tasse) de vin blanc sec
800 g (14 oz) de tomates concassées en boîte
2 cuillerées à soupe de purée de tomates
430 g (15 oz) de lentilles vertes en boîte
2 cuillerées à thé d'origan sec
4 cuillerées à soupe de persil frais haché
225 g (8 oz) de feta, émiettée
sel et poivre noir fraîchement moulu
POUR LA SAUCE BÉCHAMEL
40 g (1 1/2 oz) de beurre
4 cuillerées à soupe de farine
600 ml (2 1/2 tasses) de lait
muscade fraîchement râpée
2 œufs, battus
115 g (4 oz) de parmesan râpé

1 Salez légèrement les aubergines et les courgettes dans une passoire et laissez-les dégorger 30 minutes. Rincez et tamponnez pour sécher.

2 Dans une poêle, faites bien chauffer l'huile et faites dorer rapidement les rondelles d'aubergines et de courgettes. Retirez-les avec une écumoire et égouttez-les sur du papier absorbant. Faites ensuite brunir les rondelles de pommes de terre, égouttez-les et tapotez-les avec du papier absorbant. Avec un peu plus d'huile si nécessaire, faites revenir l'oignon et l'ail dans la poêle pendant 3 à 5 minutes, jusqu'à ce qu'ils soient légèrement dorés.

3 Ajoutez le vin, laissez réduire et ajoutez les tomates et les lentilles avec leur jus. Incorporez les herbes et assaisonnez bien. Couvrez et laissez frémir 15 minutes.

4 Dans un grand plat allant au four, disposez les légumes en couches successives, en versant entre les couches la sauce aux tomates et aux lentilles. Répartissez la feta dessus et terminez par une couche de rondelles d'aubergine.

5 Couvrez les légumes avec une feuille de papier d'aluminium et mettez au four à 190 °C (375 °F) pendant 25 minutes, jusqu'à ce que les légumes soient tendres.

6 Mettez le beurre, la farine et le lait dans une casserole et portez doucement à ébullition, en remuant ou en fouettant sans arrêt. La sauce doit épaissir et devenir lisse. Assaisonnez et ajoutez la muscade.

7 Retirez la sauce du feu, laissez refroidir 5 minutes et incorporez les œufs battus. Versez sur les aubergines et saupoudrez de parmesan. Si vous préparez votre moussaka à l'avance, laissez refroidir et mettez au réfrigérateur à ce stade.

8 Pour finir, remettez au four à découvert et laissez cuire 25 à 30 minutes, jusqu'à ce que le dessus soit doré et fasse des bulles.

Salade de riz basmati et de lentilles du Puy 🌿

Les petites lentilles du Puy ont un délicieux goût de noisette. Elles s'accordent à merveille avec le riz basmati.

POUR 6 PERSONNES
115 g (4 oz) de lentilles du Puy, trempées dans de l'eau
225 g (8 oz) de riz basmati, bien rincé
2 carottes grossièrement râpées
1/3 de concombre, coupé en deux dans le sens de la longueur, épépiné et grossièrement râpé
3 oignons nouveaux émincés
3 cuillerées à soupe de persil frais haché
POUR LA SAUCE
2 cuillerées à soupe d'huile de tournesol
2 cuillerées à soupe d'huile d'olive vierge extra
2 cuillerées à soupe de vinaigre de vin
2 cuillerées à soupe de jus de citron frais
1 bonne pincée de sucre cristallisé
sel et poivre noir fraîchement moulu

1 Faites tremper les lentilles 30 minutes. Pendant ce temps, mélangez les ingrédients de la sauce en les secouant dans un bocal fermé. Réservez.

2 Faites bouillir les lentilles dans une grande quantité d'eau non salée pendant 20 à 25 minutes. Égouttez bien.

3 Faites bouillir le riz basmati pendant 10 minutes, puis égouttez.

4 Mélangez le riz et les lentilles dans la sauce et assaisonnez. Laissez refroidir.

5 Ajoutez les carottes, le concombre, les oignons et le persil. Disposez dans un joli saladier et mettez au réfrigérateur avant de servir.

Riz sauvage et légumes en julienne

Une garniture de légumes révélera toute sa saveur si vous y ajoutez un délicieux riz sauvage. Choisissez une variété de bonne qualité et, pour réduire la durée de cuisson, laissez tremper le riz toute la nuit.

POUR 4 PERSONNES
115 g (4 oz) de riz sauvage
1 oignon rouge émincé
2 carottes coupées en bâtonnets
2 branches de céleri coupées en bâtonnets
50 g (2 oz) de beurre
150 ml (2/3 tasse) de bouillon ou d'eau
sel et poivre noir fraîchement moulu
2 courgettes moyennes, coupées en bâtonnets assez épais
quelques amandes effilées grillées, pour servir

1 Faites bouillir le riz dans une grande quantité d'eau non salée pendant 15 à 20 minutes, jusqu'à ce qu'il soit tendre et que beaucoup de grains aient éclaté. Égouttez.

2 Dans une autre casserole, faites doucement revenir l'oignon, les carottes et le céleri dans le beurre pendant 2 minutes, puis versez le bouillon ou l'eau et assaisonnez bien.

3 Portez à ébullition, laissez frémir 2 minutes, puis incorporez les courgettes. Laissez cuire 1 minute encore, puis incorporez le riz. Faites bien chauffer le tout et servez chaud, saupoudré d'amandes.

Rouleaux croustillants aux asperges

Des asperges enroulées dans de fines tranches de pain croustillantes : voilà une superbe gourmandise à préparer.

POUR 8 PERSONNES
8 grosses asperges fraîches
sel
115 g (4 oz) de beurre ramolli
1 cuillerée à soupe de moutarde à gros grains
zeste râpé de 1 citron
poivre noir fraîchement moulu
8 fines tranches de pain blanc, sans la croûte

1 Coupez les queues des asperges et pelez la peau épaisse de la base. Faites-les blanchir. Égouttez-les et rafraîchissez-les dans de l'eau froide. Tamponnez-les pour les sécher.

2 Mélangez les deux tiers du beurre avec la moutarde, le zeste de citron et l'assaisonnement. Tartinez sur les tranches de pain.

3 Posez une asperge sur le bord de chaque tranche de pain et roulez étroitement celle-ci. Placez les roulés, côté raccord en dessous, sur une plaque à pâtisserie légèrement graissée.

4 Faites fondre le restant du beurre et badigeonnez les roulés. Préchauffez le four à 190 °C (375 °F) et faites cuire les roulés 12 à 15 minutes, jusqu'à ce que le pain soit doré et croustillant. Laissez un peu refroidir avant de servir.

VARIANTE

Les asperges sont considérées comme un mets luxueux car leur saison est très courte. Étant aujourd'hui importées du monde entier, on peut les trouver presque toute l'année, mais à un prix très élevé. Les petites asperges vertes peuvent être consommées crues en salade ou sautées rapidement à la poêle. Les avis divergent sur les saveurs comparées des asperges blanches et des asperges vertes. Les blanches sont obtenues en culture forcée dans l'obscurité (d'où leur blancheur) ; certains en préfèrent la texture et le parfum.

Quiche à la ratatouille

Pour un meilleur résultat, préparez et faites cuire le fond de tarte et la garniture séparément, et associez-les juste avant de servir.

POUR 6 PERSONNES
115 g (4 oz) de farine ordinaire
115 g (4 oz) de farine complète
1 cuillerée à thé d'herbes de Provence sèches
sel et poivre noir fraîchement moulu
115 g (4 oz) de margarine de tournesol
3 à 4 cuillerées à soupe d'eau
POUR LA GARNITURE
1 petite aubergine, en rondelles épaisses
sel
3 cuillerées à soupe d'huile d'olive
1 oignon émincé
1 poivron rouge ou jaune émincé
2 gousses d'ail écrasées
2 courgettes en rondelles épaisses
2 tomates, pelées et coupées en rondelles
poivre noir fraîchement moulu
2 cuillerées à soupe de basilic frais haché
150 g (5 oz) de mozzarelle, en tranches
2 cuillerées à soupe de pignons

1 Mélangez les deux farines aux herbes et à l'assaisonnement, puis émiettez dedans la margarine jusqu'à obtenir des boulettes fines. Ajoutez de l'eau pour obtenir une pâte ferme.

2 Étalez la pâte et foncez une tourtière de 23 cm (9 po) de diamètre. Piquez le fond, doublez de papier d'aluminium et de haricots à cuire, puis laissez reposer au réfrigérateur.

3 Pendant ce temps, saupoudrez légèrement l'aubergine de sel et laissez-la dégorger 30 minutes dans une passoire. Rincez et tamponnez pour sécher.

4 Faites chauffer l'huile et faites revenir l'oignon et le poivron pendant 5 minutes, puis ajoutez l'ail, les courgettes et l'aubergine. Faites revenir 10 minutes encore, en mélangeant de temps en temps.

5 Ajoutez les tomates et l'assaisonnement, et laissez cuire 3 minutes. Ajoutez le basilic, retirez la poêle du feu et laissez refroidir.

6 Préchauffez le four à 200 °C (400 °F). Mettez le fond de tarte sur une plaque à pâtisserie et faites cuire 25 minutes, en retirant le papier d'aluminium et les haricots pendant les cinq dernières minutes. Laissez refroidir puis retirez le cercle du fond de tarte.

7 Au moment de servir, disposez les légumes dans le fond de tarte avec une écumoire pour que les jus de cuisson s'égouttent et n'imprègnent pas la pâte. Répartissez dessus les tranches de fromage et les pignons. Passez au gril préchauffé jusqu'à ce que le fromage soit doré et fasse des bulles. Servez chaud.

Petits paniers de légumes au gingembre et à l'aneth

Préparez de jolis paniers de pâte à filo, puis garnissez-les de légumes cuits à la vapeur assaisonnés d'une sauce savoureuse et originale.

POUR 4 PERSONNES
4 feuilles de pâte à filo
40 g (1 1/2 oz) de beurre fondu
POUR LA GARNITURE
2 cuillerées à soupe d'huile d'olive
1 cuillerée à soupe de gingembre frais râpé
2 gousses d'ail écrasées
3 échalotes émincées
225 g (8 oz) de champignons de couche blancs ou bruns émincés
115 g (4 oz) de pleurotes en huître émincées
1 courgette en rondelles
200 g (7 oz) de crème fraîche
2 cuillerées à soupe d'aneth frais haché
sel et poivre noir fraîchement moulu
feuilles d'aneth et de persil, pour servir

1 Coupez les feuilles de pâte à filo en quatre et tapissez quatre moules à tartelettes. Badigeonnez de beurre entre chaque épaisseur. Réservez.

2 Préchauffez le four à 190 °C (375 °F). Faites cuire les petits paniers de pâte 10 minutes environ, jusqu'à ce qu'ils soient dorés et croustillants. Sortez du four et laissez refroidir.

3 Faites sauter dans l'huile le gingembre, l'ail et les échalotes pendant 2 minutes, puis ajoutez les champignons et la courgette. Laissez cuire 3 minutes encore.

4 Ajoutez la crème fraîche, l'aneth haché et l'assaisonnement. Faites chauffer jusqu'à ce que le mélange fasse des bulles, puis disposez-le dans les paniers de pâte à filo. Garnissez avec l'aneth et le persil et servez.

Salade gado gado, sambol à l'arachide

Cette salade indonésienne de légumes légèrement cuits à la vapeur et nappés d'une sauce à l'arachide est parfaite pour un buffet d'été coloré.

POUR 6 PERSONNES
225 g (8 oz) de pommes de terre nouvelles coupées en deux
2 carottes coupées en bâtonnets
115 g (4 oz) de haricots verts
1/2 petit chou-fleur, en bouquets
1/4 de chou blanc ferme, effiloché
200 g (7 oz) de germes de soja ou de lentilles
4 œufs durs coupés en quatre
1 bouquet de cresson
POUR LA SAUCE
6 cuillerées à soupe de beurre d'arachide avec morceaux
300 ml (1 1/4 tasse) d'eau
1 gousse d'ail, écrasée
2 cuillerées à soupe de sauce de soja foncée
1 cuillerée à soupe de sherry sec
2 cuillerées à thé de sucre cristallisé
1 cuillerée à soupe de jus de citron frais
1 cuillerée à thé d'essence d'anchois

1 Posez un panier à vapeur ou une passoire métallique sur une casserole d'eau frémissante. Faites cuire les pommes de terre 10 minutes.

2 Ajoutez le reste des légumes et les germes de soja, et faites cuire 10 minutes. Laissez refroidir et servez sur un plat avec les quartiers d'œufs entourés de cresson.

3 Fouettez tous les ingrédients de la sauce jusqu'à ce qu'elle soit homogène. Mettez la sauce dans un petit bol et versez-en un filet sur chaque assiettée de salade.

Riz et lentilles à la persane avec un tahdeeg

La cuisine persane ou iranienne est absolument succulente. Ses saveurs intenses et insolites sont plus sophistiquées que celles des autres cuisines méditerranéennes. Un tahdeeg est la savoureuse croûte de riz dorée qui se forme au fond de la casserole.

POUR 8 PERSONNES
450 g (1 lb) de riz basmati, bien rincé et trempé
2 oignons, 1 haché et 1 finement émincé
2 gousses d'ail écrasées
150 ml (2/3 tasse) d'huile de tournesol
150 g (5 oz) de lentilles vertes, trempées
600 ml (2 1/2 tasses) de bouillon
50 g (2 oz) de raisins secs
2 cuillerées à thé de coriandre moulue
3 cuillerées à soupe de purée de tomates
sel et poivre noir fraîchement moulu
quelques filaments de safran
1 jaune d'œuf battu
2 cuillerées à thé de yaourt nature
75 g (3 oz) de beurre fondu et clarifié
huile, pour la cuisson

1 Faites bouillir le riz dans une grande quantité d'eau bien salée pendant 3 minutes seulement. Égouttez.

2 Pendant ce temps, faites sauter l'oignon haché et l'ail dans 2 cuillerées à soupe d'huile pendant 5 minutes, puis ajoutez les lentilles, le bouillon, les raisins secs, la coriandre, la purée de tomates et l'assaisonnement. Portez à ébullition, puis couvrez et laissez frémir 20 minutes. Réservez.

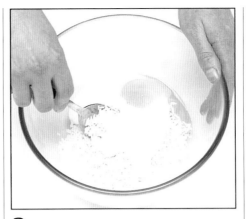

3 Faites tremper les filaments de safran dans un peu d'eau chaude. Prélevez environ 8 cuillerées à soupe de riz et mélangez-le avec le jaune d'œuf et le yaourt. Assaisonnez bien.

4 Faites chauffer deux tiers de l'huile restante et répartissez le riz mélangé à l'œuf et au yaourt.

5 Répartissez le restant de riz dans la casserole, en alternant avec les lentilles. Disposez les couches en pyramide en finissant par du riz nature sur le dessus.

6 Avec le manche d'une grande cuillère en bois, faites 3 trous jusqu'au fond de la casserole et versez le beurre. Amenez à feu vif, puis enveloppez le couvercle dans un torchon propre et humide, et ajustez-le fermement sur le dessus. Quand la vapeur apparaît, réduisez le feu. Laissez cuire 30 minutes environ.

7 Pendant ce temps, faites frire l'oignon émincé dans le restant d'huile jusqu'à ce qu'il soit brun. Égouttez et réservez.

8 Retirez la casserole de riz du feu, sans découvrir, et mettez-la dans un évier d'eau froide pendant 1 ou 2 minutes, pour décoller le fond. Retirez le couvercle et mélangez quelques cuillerées du riz blanc avec l'eau safranée.

9 Mélangez le riz et les lentilles dans la casserole. Disposez le mélange en monticule sur un plat de service. Répandez sur le dessus le riz safrané. Détachez la croûte de riz du fond (le tahdeeg tant apprécié!) et placez-la autour du monticule. Répartissez les oignons sur le riz safrané et servez.

Beignets de légumes au tzatziki

Des rondelles d'aubergine et de courgettes épicées et frites, servies avec une sauce fraîche et parfumée, à base de yaourt à la grecque et de concombres : voici une belle entrée de fête ou un plat d'accompagnement délicieux.

POUR 4 À 6 PERSONNES
1/2 concombre grossièrement râpé
225 g (8 oz) de yaourt grec nature
1 cuillerée à soupe d'huile d'olive vierge extra
2 cuillerées à thé de jus de citron frais
2 cuillerées à soupe d'aneth frais haché
1 cuillerée à soupe de menthe fraîche hachée
1 gousse d'ail écrasée
sel et poivre noir fraîchement moulu
1 grosse aubergine en grosses rondelles
2 courgettes en grosses rondelles
1 blanc d'œuf battu
4 cuillerées à soupe de farine
2 cuillerées à thé de coriandre moulue
cumin moulu

1 Pour la sauce, mélangez le concombre, le yaourt, l'huile, le jus de citron, l'aneth, la menthe, l'ail et l'assaisonnement. Débarrassez dans un bol et réservez.

2 Mettez l'aubergine et les courgettes dans une passoire et saupoudrez-les de sel. Laissez dégorger 30 minutes. Rincez à l'eau froide et tamponnez pour sécher.

3 Mettez le blanc d'œuf dans un bol. Mélangez la farine, la coriandre et le cumin avec l'assaisonnement et mettez le tout dans un autre bol.

4 Trempez les légumes dans le blanc d'œuf, puis dans la farine assaisonnée et réservez.

5 Faites bien chauffer 2,5 cm (1 po) d'huile dans une poêle profonde, puis faites frire les légumes par petits lots jusqu'à ce qu'ils soient dorés et croustillants.

6 Égouttez et gardez au chaud pendant que vous faites frire le reste. Servez chaud, accompagné d'un bol de sauce tzatziki légèrement saupoudrée de paprika.

Soucoupes de champignons

Des mets presentés en portions sont appréciés des invités car chacun peut se servir sans craindre de prendre plus que sa part. Les gros champignons plats constituent de petits plats individuels tout prêts !

POUR 8 PERSONNES
8 gros champignons plats, tiges coupées, essuyées et hachées
3 cuillerées à soupe d'huile d'olive
sel et poivre noir fraîchement moulu
1 oignon émincé
1 cuillerée à thé de graines de cumin
450 g (1 lb) d'épinards en branche, équeutés et effilochés
425 g (15 oz) de haricots rouges en boîte, égouttés
200 g (7 oz) de fromage frais à l'ail et aux fines herbes
2 tomates moyennes, coupées en deux, épépinées et émincées

1 Préchauffez le four à 190 °C (375 °F). Graissez un grand plat peu profond allant au four. Badigeonnez les champignons avec de l'huile, placez-les dans le plat et assaisonnez bien. Couvrez de papier d'aluminium et faites cuire 15 à 20 minutes. Égouttez et réservez le jus.

2 Faites revenir l'oignon et les tiges de champignons hachées dans le restant d'huile pendant 5 minutes. Ajoutez les graines de cumin et le jus des champignons et laissez réduire 1 minute.

3 Ajoutez les epinards et faites sauter jusqu'à ce que les feuilles commencent à se flétrir. Incorporez les haricots et faites bien chauffer. Ajoutez le fromage, en mélangeant jusqu'à ce qu'il soit fondu, et assaisonnez encore.

4 Repartissez le mélange dans les chapeaux de champignons et remettez au four pour bien faire chauffer le tout. Servez garni de tomates émincées.

Nids d'oiseau

Cette recette est tirée d'un livre de cuisine manuscrit datant de 1887. Les œufs ainsi cuisinés ressemblent aux œufs à l'écossaise – on les appelle aussi « œufs à la galloise » –, mais la farce contient des poireaux. Ils sont très pratiques pour un pique-nique.

POUR 6 PERSONNES
6 œufs durs
farine assaisonnée de sel et de paprika
1 poireau haché
2 cuillerées à thé d'huile de tournesol
115 g (4 oz) de chapelure blanche fraîche
zeste râpé et jus de 1 citron
50 g (2 oz) de margarine
4 cuillerées à soupe de persil frais haché
1 cuillerée à thé de thym sec
sel et poivre noir fraîchement moulu
1 œuf battu
75 g (3 oz) de chapelure sèche
huile pour friture
laitue et rondelles de tomates, pour garnir

1 Écalez les œufs durs et roulez-les dans la farine assaisonnée.

2 Faites revenir le poireau dans l'huile pendant 3 minutes. Retirez du feu, laissez refroidir, puis mélangez à la chapelure fraîche, au zeste et au jus de citron, à la margarine et aux herbes.

3 Façonnez le mélange autour des œufs. Roulez dans l'œuf battu, puis dans la chapelure sèche. Réservez au réfrigérateur sur une assiette pendant 30 minutes.

4 Versez assez d'huile pour remplir le tiers d'une friteuse, et portez à 190 °C (375 °F). Faites frire les œufs par lots de trois, pendant 3 minutes environ. Enlevez et égouttez sur du papier absorbant.

5 Servez froid, coupé en deux sur une assiette bordée de laitue et garnie de rondelles de tomates.

Salade à emporter

Utiliser un pain évidé comme récipient est une idée ingénieuse – que l'on doit à l'Angleterre victorienne ! – qui permet de transporter proprement des salades jusqu'au lieu d'un pique-nique.

POUR 6 PERSONNES
1 grand pain à croûte épaisse
beurre ou margarine ramollis pour tartiner
quelques feuilles de laitue
4 œufs durs, hachés
350 g (12 oz) de pommes de terre
   nouvelles bouillies, coupées en rondelles
1 poivron vert finement émincé
2 carottes grossièrement râpées
3 oignons nouveaux hachés
115 g (4 oz) de gouda râpé
sel et poivre noir fraîchement moulu
POUR LA SAUCE
2 cuillerées à soupe de mayonnaise
2 cuillerées à soupe de yaourt nature
2 cuillerées à soupe de lait
1 gousse d'ail, écrasée (facultatif)
1 cuillerée à soupe d'aneth frais haché

1 Coupez le haut du pain et évidez la mie. Gardez-la pour faire de la chapelure fraîche.

2 Tartinez légèrement l'intérieur du pain avec le beurre ou la margarine ramollis, puis tapissez-le avec les feuilles de laitue.

3 Mélangez les œufs aux légumes et au fromage. Assaisonnez bien. Mélangez en fouettant les ingrédients de la sauce et incorporez-les au mélange d'œufs et de légumes.

4 Remplissez le pain avec la salade, remettez le couvercle et enveloppez dans du film plastique. Réfrigérez. Au moment de servir, coupez la croûte en bouchées.

Œufs de caille marbrés

Faites cuire des œufs de caille déjà durs dans du thé fumé de Chine : une jolie marbrure se dessinera sur leurs coquilles. Pour un apéritif, ces œufs sont délicieux trempés dans un sel épicé. Vous trouverez des grains de poivre du Sichuan dans les épiceries asiatiques.

POUR 4 À 6 PERSONNES
12 œufs de caille
600 ml (2 1/2 tasses) de thé lapsang souchong, bien infusé
1 cuillerée à soupe de sauce de soja foncée
1 cuillerée à soupe de sherry sec
2 fleurs d'anis étoilé
feuilles de laitue, pour servir
poivre rouge du Sichuan pilé
sel de mer, pour mélanger

1 Placez les œufs dans de l'eau froide et portez à ébullition. Laissez bouillir 2 minutes précisément.

2 Retirez les œufs de la casserole et passez-les sous l'eau froide pour les rafraîchir. Tapotez les coquilles sur toutes les faces pour les craqueler, mais ne les écalez pas encore.

3 Dans une casserole, portez le thé à ébullition et ajoutez la sauce de soja, le sherry et l'anis. Faites à nouveau bouillir les œufs pendant 15 minutes. Couvrez partiellement pour que le liquide ne s'évapore pas.

4 Rafraîchissez les œufs, puis écalez-les et arrangez-les sur un petit plat tapissé de feuilles de laitue. Mélangez le poivre rouge avec une quantité égale de sel, et versez dans une petite coupelle.

Roulade de betteraves

Quoi qu'en laisse croire le résultat, cette roulade est facile à réaliser. Préparez-la en automne, à la saison des betteraves.

POUR 6 PERSONNES
225 g (8 oz) de betteraves fraîches, cuites et pelées
1/2 cuillerée à thé de cumin moulu
25 g (1 oz) de beurre
1 cuillerée à soupe d'oignon râpé
4 œufs, blancs et jaunes séparés
sel et poivre noir fraîchement moulu
POUR LA GARNITURE
150 ml (2/3 tasse) de crème fraîche ou de crème double
2 cuillerées à thé de vinaigre de vin blanc
1 bonne pincée de poudre de moutarde sèche
1 cuillerée à thé de sucre
3 cuillerées à soupe de persil frais haché
2 cuillerées à soupe d'aneth frais haché
3 cuillerées à soupe de sauce au raifort

1 Tapissez de papier sulfurisé et graissez une plaque à génoise. Préchauffez le four à 190 ˚C (375 ˚F).

2 Hachez grossièrement les betteraves, puis réduisez-les en purée dans un robot ménager. Incorporez le cumin, le beurre, l'oignon, les jaunes d'œufs et l'assaisonnement. Versez la purée dans un grand bol.

3 Dans un autre bol, montez les blancs d'œufs en neige ferme. Incorporez-les délicatement à la purée de betteraves.

4 Étalez ce mélange dans la plaque à génoise, nivelez et mettez au four 15 minutes environ, jusqu'à ce qu'il soit tout juste ferme au toucher.

5 Disposez un torchon propre sur une grille. Retournez la préparation à base de betteraves sur le torchon, puis retirez délicatement le papier par bandes.

6 Fouettez la crème fraîche jusqu'à ce qu'elle soit un peu ferme, puis incorporez les ingrédients restants. Étalez le mélange sur la betterave. Roulez le tout dans le torchon et laissez refroidir.

Pan bagna

Pour préparer ce sandwich, trois éléments sont essentiels : une baguette bien fraîche, des tomates juteuses et parfumées, et une huile d'olive de bonne qualité.

POUR 3 À 4 PERSONNES
1 baguette, coupée en deux dans le sens de la longueur
1 gousse d'ail coupée en deux
4 à 6 cuillerées à soupe d'huile d'olive vierge extra
3 à 4 tomates mûres en rondelles fines
sel et poivre noir fraîchement moulu
1 petit poivron vert, finement émincé
50 g (2 oz) de gruyère en tranches fines
quelques olives noires, dénoyautées et émincées
6 feuilles de basilic frais

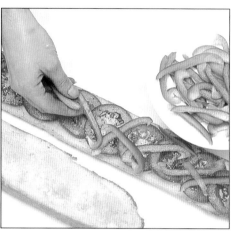

1 Frottez la mie de pain avec la gousse d'ail, puis badigeonnez avec la moitié de l'huile.

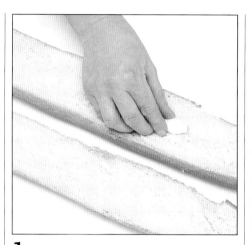

2 Disposez les rondelles de tomates dessus, assaisonnez bien et ajoutez le poivron. Versez le restant d'huile en filet.

3 Recouvrez les tomates avec les tranches de fromage, les olives et les feuilles de basilic. Refermez le sandwich, appuyez et enveloppez dans du film plastique. Laissez reposer 1 heure au moins. Servez en gros tronçons coupés en diagonale.

Sandwiches, petits pains et garnitures

On trouve de plus en plus de variétés de pains : des pains à base de farine blanche ou complète, des pains aux saveurs d'oignon, de noix, de tomate ou d'olive noire… Choisissez un pain bien frais, et tartinez-le jusqu'au bord avec un beurre ou une margarine de bonne qualité. Une fois garni, enveloppez-le dans du film plastique et mettez-le au réfrigérateur. Sortez-le un peu avant de servir pour qu'il soit à température ambiante.

IDÉES DE GARNITURES
En règle générale, ne mélangez pas les garnitures mais disposez-les en couches distinctes.

❏ Brie ou camembert, mélangé avec des noix ou des noix de pécan hachées et servi avec de la salade frisée.

❏ Extrait de levure, œuf brouillé (sans lait) et légumes secs germés. Ne mélangez pas la levure avec l'œuf, mais tartinez-la sur le pain ou le petit pain.

❏ Faites frire des oignons dans de l'huile d'olive jusqu'à ce qu'ils soient croustillants et dorés. Laissez refroidir. Disposez des couches successives d'oignons, de pousses de jeunes épinards effilochées et de fromage râpé mélangé à un peu de mayonnaise.

❏ Véritables sandwiches anglais au concombre. Épluchez un concombre entier, puis émincez finement la chair, au robot ménager de préférence. Salez légèrement et laissez dégorger 30 minutes dans une passoire. Arrosez légèrement de vinaigre et saupoudrez d'un peu de poivre noir. Disposez entre deux tranches de pain blanc ou de froment, très frais, dont vous aurez retiré la croûte. Coupez en petits triangles.

Salade de pâtes et de betteraves

La couleur est essentielle sur une table de fête, et cette salade ne manquera pas d'attirer l'œil! Ajoutez l'œuf et l'avocat au dernier moment pour éviter qu'ils ne noircissent.

POUR 8 PERSONNES
2 betteraves non cuites grattées
225 g (8 oz) de coquillettes ou de tortillons de pâtes
3 cuillerées à soupe de vinaigrette
sel et poivre noir fraîchement moulu
2 branches de céleri, finement émincées
3 oignons nouveaux émincés
75 g (3 oz) de noix ou de noisettes, grossièrement hachées
1 pomme à dessert, vidée et coupée en deux puis en rondelles
POUR LA SAUCE
4 cuillerées à soupe de mayonnaise
3 cuillerées à soupe de yaourt nature ou de fromage frais
2 cuillerées à soupe de lait
2 cuillerées à thé de sauce au raifort
POUR SERVIR
feuilles de laitue frisée
3 œufs durs hachés
2 avocats mûrs
1 paquet de cresson alénois

1 Faites bouillir les betteraves sans les peler dans de l'eau salée, jusqu'à ce qu'elles soient tendres. Égouttez, laissez refroidir, pelez et hachez. Réservez.

2 Faites cuire les pâtes, égouttez, ajoutez la vinaigrette et assaisonnez. Laissez refroidir. Mélangez les pâtes aux betteraves, au céleri, aux oignons, aux noix ou aux noisettes et à la pomme.

3 Mélangez tous les ingrédients de la sauce et ajoutez aux pâtes. Mettez au réfrigérateur pour bien refroidir.

4 Pour servir, tapissez un joli saladier avec les feuilles de laitue et empilez la salade au centre. Au moment de servir, répandez dessus l'œuf haché. Pelez et coupez les avocats en rondelles et arrangez-les sur le dessus, puis garnissez le tout de cresson.

Gaspacho

Cette soupe classique espagnole est idéale pour emporter en pique-nique. Conservez quelques légumes en dés dans des boîtes séparées et servez-les en garniture.

POUR 6 PERSONNES
1 tranche de pain blanc, sans la croûte
eau, pour tremper
1 gousse d'ail écrasée
2 cuillerées à soupe d'huile d'olive vierge extra
2 cuillerées à soupe de vinaigre de vin blanc
6 grosses tomates mûres, pelées et finement hachées
1 petit oignon finement haché
1/2 cuillerée à thé de paprika
1 bonne pincée de cumin moulu
150 ml (2/3 tasse) de jus de tomates
sel et poivre noir fraîchement moulu
POUR LA GARNITURE
1 poivron vert en dés
1/3 de concombre, pelé, épépiné et coupé en dés
POUR LES CROÛTONS
2 tranches de pain, coupées en dés et frites

1 Laissez tremper la tranche de pain dans l'eau froide 5 minutes environ, puis écrasez avec une fourchette.

2 Écrasez l'ail dans un mortier avec l'huile et le vinaigre, ou utilisez un robot ménager. Mélangez au pain.

3 Mettez le mélange dans un bol et incorporez les tomates, l'oignon, les épices et le jus de tomates. Assaisonnez bien et réservez au réfrigérateur. Préparez les garnitures et gardez-les dans des boîtes séparées.

4 Pour un pique-nique, versez la soupe refroidie dans une bouteille. Sur une table, présentez dans un saladier en verre avec les garnitures dans des bols.

Roulade aux œufs et au sésame

Cette recette est d'inspiration japonaise : une crêpe à l'œuf est roulée autour d'une garniture de cresson crémeuse et coupée en tranches épaisses.

POUR 3 À 4 PERSONNES
3 œufs
1 cuillerée à soupe de sauce de soja
1 cuillerée à soupe de graines de sésame
1 cuillerée à thé d'huile de sésame
sel et poivre noir fraîchement moulu
1 cuillerée à soupe d'huile de tournesol
75 g (3 oz) de fromage à l'ail
1 bouquet de cresson haché

1 Battez les œufs avec la sauce de soja, les graines de sésame, l'huile de sésame et l'assaisonnement.

2 Faites bien chauffer l'huile de tournesol dans une grande poêle, puis versez le mélange aux œufs. Laissez cuire jusqu'à ce que la crêpe soit ferme.

3 Laissez reposer la crêpe dans la poêle pendant quelques minutes, puis retournez-la sur une planche à découper et laissez refroidir complètement.

4 Fouettez le fromage jusqu'à ce qu'il soit onctueux, assaisonnez bien, puis incorporez le cresson haché. Répartissez cette préparation sur la crêpe, puis roulez-la assez fermement. Enveloppez dans un film plastique et réfrigérez.

Coleslaw maison

Ce serait vraiment dommage d'acheter le coleslaw chez le traiteur, alors que ce plat, à la saveur fraîche et croquante, est rapide et facile à préparer.

POUR 4 À 6 PERSONNES
1/4 de chou blanc ferme
1 petit oignon finement émincé
2 branches de céleri finement émincées
2 carottes, grossièrement râpées
1 à 2 cuillerées à thé de graines de cumin (facultatif)
1 pomme à dessert, vidée et hachée (facultatif)
50 g (2 oz) de noix hachées (facultatif)
sel et poivre noir fraîchement moulu
POUR LA SAUCE
3 cuillerées à soupe de mayonnaise
2 cuillerées à soupe de crème ou de yaourt nature
1 cuillerée à thé de zestes de citron râpés
sel et poivre noir fraîchement moulu

1 Coupez et jetez le cœur de chou, puis ciselez finement les feuilles. Disposez-les dans un saladier.

2 Ajoutez l'oignon, le céleri, la carotte, et, éventuellement, les graines de cumin, la pomme et les noix. Assaisonnez bien.

3 Mélangez les ingrédients de la sauce et versez sur les légumes. Couvrez et laissez reposer 2 heures, en mélangeant de temps en temps. Gardez au réfrigérateur un petit moment avant de servir.

Malfattis à la sauce rouge

Si les boulettes vous semblent en général un peu lourdes, essayez ces malfattis italiens aux épinards et à la ricotta. Servez-les avec une simple sauce à la tomate et au poivron.

POUR 4 À 6 PERSONNES
450 g (1 lb) d'épinards en branche frais, équeutés
1 petit oignon haché
1 gousse d'ail écrasée
1 cuillerée à soupe d'huile d'olive
400 g (14 oz) de ricotta
75 g (3 oz) de chapelure sèche
50 g (2 oz) de farine
1 cuillerée à thé de sel
50 g (2 oz) de parmesan fraîchement râpé
muscade fraîchement râpée, selon le goût
3 œufs battus
25 g (1 oz) de beurre fondu
POUR LA SAUCE
1 gros poivron rouge haché
1 petit oignon rouge haché
2 cuillerées à soupe d'huile d'olive
400 g (14 oz) de tomates concassées en boîte
150 ml (2/3 tasse) d'eau
1 bonne pincée d'origan sec
sel et poivre noir fraîchement moulu
2 cuillerées à soupe de crème

1 Faites blanchir les épinards dans très peu d'eau jusqu'à ce qu'ils soient mous, puis égouttez bien, en pressant au travers d'un chinois avec le dos d'une louche ou d'une cuillère. Hachez très finement.

LE CONSEIL DU CHEF

Pour façonner les malfattis en quenelles (des boulettes ovales), utilisez deux cuillères à entremets. Prenez une cuillerée bombée du mélange avec l'une d'elles, puis positionnez l'autre cuillère sur le mélange en la tournant un peu. Répétez l'opération deux ou trois fois jusqu'à ce que la quenelle soit lisse, puis faites-la doucement glisser sur une assiette : la quenelle est prête à cuire.

2 Faites légèrement revenir l'oignon et l'ail dans l'huile pendant 5 minutes, puis mélangez avec les épinards et la ricotta, la chapelure, la farine, le sel, presque tout le parmesan et la muscade.

3 Laissez refroidir le mélange, ajoutez les œufs et le beurre fondu, puis façonnez 12 petites quenelles.

4 Pour la sauce, faites sauter le poivron et l'oignon dans l'huile pendant 5 minutes. Ajoutez les tomates, l'eau, l'origan et l'assaisonnement. Portez à ébullition, puis laissez frémir 5 minutes.

5 Une fois que la sauce est cuite, retirez-la du feu et réduisez-la en purée au robot ménager. Remettez-la dans la casserole, puis incorporez la crème. Rectifiez l'assaisonnement.

6 Dans une sauteuse peu profonde, amenez de l'eau salée à frémissement et faites glisser les malfattis dedans par petits lots. Laissez pocher 5 minutes environ. Égouttez et maintenez au chaud.

7 Arrangez les malfattis sur des assiettes chaudes et nappez de sauce. Servez saupoudré du reste de parmesan.

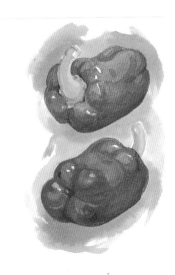

Sauce à tremper au curry et au chutney à la mangue

Cette sauce savoureuse et piquante est rapide à réaliser. Elle est idéale pour tremper des lanières de pain pita, des gressins ou des bâtonnets de légumes frais.

POUR 4 À 6 PERSONNES
1 oignon haché
1 gousse d'ail écrasée
2 cuillerées à soupe d'huile de tournesol
2 cuillerées à thé de curry doux en poudre
225 g (8 oz) de yaourt grec nature
2 cuillerées à soupe de chutney à la mangue
sel et poivre noir fraîchement moulu
2 cuillerées à soupe de persil frais haché

1 Faites revenir doucement l'oignon et l'ail dans l'huile pendant 5 minutes, jusqu'à ce qu'ils soient tendres. Ajoutez le curry et laissez cuire 1 minute encore, puis laissez refroidir.

2 Versez dans un robot ménager avec le yaourt, le chutney et l'assaisonnement, et mélangez jusqu'à obtenir une pâte lisse.

3 Incorporez le persil et mettez au réfrigérateur avant de servir avec un assortiment de crudités et des lanières de pain.

Pâté aux champignons et aux noix

Dégustez ce pâté savoureux sur de la baguette, avec quelques tomates cerises et des feuilles de laitue.

POUR 4 À 6 PERSONNES
1 oignon haché
1 gousse d'ail écrasée
1 cuillerée à soupe d'huile de tournesol
2 cuillerées à soupe d'eau
1 cuillerée à soupe de sherry sec
225 g (8 oz) de champignons de couche hachés
sel et poivre noir fraîchement moulu
75 g (3 oz) de noix de cajou ou de noix hachées
150 g (5 oz) de fromage allégé
1 cuillerée à soupe de sauce de soja
un peu de sauce Worcestershire
persil frais haché et un peu de paprika, pour servir

1 Faites revenir doucement l'oignon et l'ail dans l'huile pendant 3 minutes, puis ajoutez l'eau, le sherry et les champignons. Laissez cuire 5 minutes environ, en mélangeant. Assaisonnez selon votre goût et laissez un peu refroidir.

2 Mettez le mélange dans un robot ménager avec les noix, le fromage et les sauces. Faites-en une purée, mais ne la laissez pas devenir trop lisse.

3 Rectifiez l'assaisonnement, puis disposez dans un plat de service, en donnant un mouvement au dessus avec une cuillère. Servez légèrement frais, saupoudré de persil et de paprika.

Antipasti et aïoli

Pour une simple entrée ou un cocktail, servez un bel assortiment de légumes et de pains avec de l'aïoli, cette sauce si populaire dans le sud de la France et en Espagne.

POUR 4 À 6 PERSONNES
4 gousses d'ail
2 jaunes d'œufs
1/2 cuillerée à thé de sel
poivre noir fraîchement moulu
300 ml (1 1/4 tasse) d'huile d'olive vierge extra
POUR SERVIR
poivron rouge ou jaune, en épaisses lanières
fenouil coupé en biseau
radis coupés en deux s'ils sont gros
champignons de couche
bouquets de brocolis
bâtonnets de gressins
baguette coupée en biseau

1 Écrasez l'ail dans un bol, puis battez les jaunes d'œufs avec le sel et un peu de poivre.

2 Posez le bol sur un torchon humide et versez lentement l'huile, goutte à goutte, en mélangeant au fouet jusqu'à obtenir une sauce épaisse et crémeuse. Au fur et à mesure que la sauce épaissit, vous pouvez ajouter de l'huile en plus grande quantité.

3 Mettez l'aïoli dans un bol. Arrangez les légumes autour et servez frais.

Camembert frit

Voilà une entrée populaire ou un entremets délicat à servir à la fin d'un bon repas. Les fromages frits sont assez simples à réaliser. Ils sont servis avec une marmelade d'oignons rouges que l'on peut préparer à l'avance et conserver au réfrigérateur.

POUR 4 PERSONNES
POUR LA MARMELADE
1 kg (2 lb) d'oignons rouges émincés
3 cuillerées à soupe d'huile de tournesol
3 cuillerées à soupe d'huile d'olive
1 cuillerée à soupe de baies de coriandre écrasées
2 grosses feuilles de laurier
3 cuillerées à soupe de sucre cristallisé
6 cuillerées à soupe de vinaigre de vin rouge
2 cuillerées à thé de sel
POUR LE FROMAGE
8 portions individuelles de camembert
1 œuf battu
125 g (4 oz) de chapelure sèche, pour enrober
huile de friture

1 Préparez d'abord la marmelade. Dans une grande casserole, faites doucement revenir les oignons, à couvert, pendant 20 minutes environ, jusqu'à ce qu'ils soient tendres.

2 Ajoutez les autres ingrédients de la marmelade, mélangez bien et faites cuire à découvert pendant encore 10 à 15 minutes, jusqu'à ce que l'essentiel du liquide ait été absorbé. Laissez refroidir et réservez.

VARIANTE

Vous pouvez aussi préparer ces fromages frits avec des languettes de brie ferme ou de petits fromages de chèvre.

3 Préparez ensuite le fromage. Grattez la croûte avec une fourchette. Trempez chaque portion dans l'œuf, puis dans la chapelure pour bien l'enrober. Répétez l'opération une deuxième fois si nécessaire. Débarrassez sur une assiette.

4 Versez de l'huile dans une friteuse à un tiers de la hauteur ; faites chauffer à 190 °C (375 °F).

5 Abaissez délicatement les fromages enrobés dans l'huile chaude, trois ou quatre à la fois, et laissez frire 1 ou 2 minutes, jusqu'à ce qu'ils soient dorés.

6 Égouttez bien sur du papier absorbant et faites frire le reste, après avoir laissé remonter la température de l'huile. Servez chaud avec une partie de la marmelade.

DESSERTS & VIENNOISERIES

Des pains bien frais, des gâteaux, des compositions
aux fruits variés : autant de délices auxquels
personne ne résistera !

Pain en couronne à la courgette

Les courgettes et le fromage permettent à la pâte à pain de conserver sa fraîcheur plus longtemps.

POUR 8 PERSONNES
450 g (1 lb) de courgettes, grossièrement râpées
sel
500 g (1 1/4 lb) de farine
2 sachets de levure de boulanger
4 cuillerées à soupe de parmesan fraîchement râpé
poivre noir fraîchement moulu
2 cuillerées à soupe d'huile d'olive
eau tiède, pour mélanger
lait, pour glacer
graines de sésame, pour garnir

1 Disposez les courgettes dans une passoire et saupoudrez-les légèrement de sel. Laissez dégorger 30 minutes, puis tamponnez pour sécher.

2 Mélangez la farine, la levure et le parmesan, et assaisonnez de poivre noir.

3 Incorporez l'huile, les courgettes et suffisamment d'eau tiède pour obtenir une belle pâte ferme.

4 Travaillez la pâte sur une surface légèrement farinée jusqu'à ce qu'elle soit lisse, puis remettez-la dans le bol, couvrez-la de film plastique et laissez lever dans un endroit tiède.

5 Pendant ce temps, graissez et farinez un moule à manqué rond de 23 cm (9 po) de diamètre. Préchauffez le four à 200 °C (400 °F).

6 Une fois que la pâte a doublé de volume, sortez-la du bol, faites-la tomber et travaillez-la un peu. Partagez-la en 8 boulettes. Roulez celles-ci et disposez-les dans le moule. Badigeonnez le dessus de lait et saupoudrez de graines de sésame.

7 Laissez à nouveau lever, puis faites cuire au four 25 minutes, jusqu'à ce que le pain soit doré. Laissez un peu refroidir dans le moule, puis démoulez pour que le pain finisse de refroidir.

Fougasse au romarin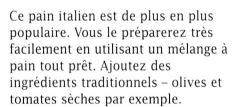

Ce pain italien est de plus en plus populaire. Vous le préparerez très facilement en utilisant un mélange à pain tout prêt. Ajoutez des ingrédients traditionnels – olives et tomates sèches par exemple.

POUR 4 PERSONNES
450 g (1 lb) de mélange à pain blanc
4 cuillerées à soupe d'huile d'olive vierge extra
2 cuillerées à thé de romarin sec écrasé
8 tomates sèches émincées
12 olives noires, dénoyautées et hachées
200 ml (7 oz) d'eau tiède
gros sel de mer

VARIANTE

Si vous voulez préparer votre pâte à pain vous-même au lieu d'utiliser un mélange du commerce, mélangez un sachet de levure de boulanger avec 675 g (1 1/2 lb) de farine, puis ajoutez les autres ingrédients en suivant la recette.

1 Incorporez le mélange à pain à la moitié de l'huile, avec le romarin, les tomates, les olives et l'eau, jusqu'à obtenir une pâte ferme.

2 Posez la pâte sur une surface légèrement farinée et travaillez-la bien pendant 5 minutes. Remettez la pâte dans le bol et couvrez d'un film plastique huilé.

3 Laissez lever la pâte dans un endroit tiède jusqu'à ce qu'elle ait doublé de volume. Pendant ce temps, graissez légèrement deux plaques à pâtisserie et préchauffez le four à 220 °C (425 °F).

4 Sortez la pâte levée, faites-la retomber et travaillez-la encore. Divisez-la en 2 morceaux, façonnez ceux-ci en ronds et placez-les sur la plaque à pâtisserie. Faites des creux dans la pâte. Répartissez dessus le restant d'huile d'olive et saupoudrez de sel.

5 Mettez les fougasses au four pendant 12 à 15 minutes, jusqu'à ce qu'elles soient dorées et cuites. Faites-les glisser sur des grilles pour les laisser refroidir. Dégustez un peu tiède.

Pain brun

Ce pain est très facile à réaliser : il suffit de mélanger les ingrédients et d'enfourner ! Le bicarbonate de soude et la crème de tartre remplacent la levure.

POUR 1 MICHE DE 1 KG (2 LB)
450 g (1 lb) de farine ordinaire
450 g (1 lb) de farine complète
2 cuillerées à thé de sel
1 cuillerée à soupe de bicarbonate de soude
4 cuillerées à thé de crème de tartre
2 cuillerées à thé de sucre cristallisé
50 g (2 oz) de beurre
900 ml (3 3/4 tasses) de babeurre ou de lait écrémé
farine complète, pour saupoudrer

1 Graissez une plaque à pâtisserie. Préchauffez le four à 190 °C (375 °F).

2 Tamisez tous les ingrédients secs dans un saladier, en ajoutant au mélange le son de la farine restée dans le tamis.

3 Émiettez le beurre dans le mélange de farine, puis ajoutez suffisamment de babeurre ou de lait pour obtenir une pâte molle – procédez par étapes.

4 Travaillez la pâte, puis posez-la sur la plaque à pâtisserie et façonnez-la en un cercle de 5 cm (2 po) d'épaisseur.

5 Avec le manche fariné d'une cuillère en bois, tracez une grande croix sur le sommet de la pâte. Saupoudrez d'un peu de farine complète.

6 Mettez au four 40 à 50 minutes, jusqu'à ce que la miche ait levé et soit ferme. Laissez-la refroidir 5 minutes avant de la faire glisser sur une grille.

Pain brioché à la cardamome et au safran

Ce pain brioché très parfumé est idéal pour le thé ou, légèrement grillé, pour le petit-déjeuner. Utilisez de la levure de boulanger : avec elle, la préparation du pain devient un jeu d'enfants !

POUR 1 PAIN DE 1 KG (2 LB)
1 bonne pincée de filaments de safran
750 ml (3 tasses) de lait tiède
25 g (1 oz) de beurre
1 kg (2 lb) de farine
2 sachets de levure de boulanger
30 g (1 1/2 oz) de sucre cristallisé
graines de 6 gousses de cardamome
115 g (4 oz) de raisins secs
2 cuillerées à soupe de miel clair
1 œuf battu

1 Écrasez le safran dans une tasse contenant un peu du lait tiède et laissez macérer 5 minutes.

2 Émiettez le beurre dans la farine, puis incorporez la levure, le sucre et les graines de cardamome. Frottez éventuellement celles-ci pour les séparer. Ajoutez les raisins secs.

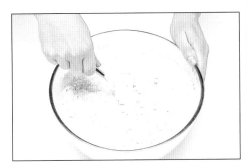

3 Fouettez le restant de lait avec le miel et l'œuf, puis incorporez ce mélange à la farine, avec le lait safrané et les filaments, en mélangeant bien jusqu'à obtenir une pâte ferme.

4 Mettez la pâte sur une surface légèrement farinée et travaillez-la pendant 5 minutes environ, jusqu'à ce qu'elle soit lisse.

5 Remettez la pâte dans le saladier, couvrez de film plastique huilé et laissez-la lever dans un endroit tiède jusqu'à ce qu'elle ait doublé de volume. Cela peut prendre 1 à 3 heures.

VARIANTE

Pour simplifier la préparation, remplacez le safran et les graines de cardamome par 2 cuillerées à thé de cardamome moulue.

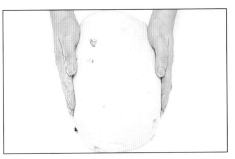

6 Remettez la pâte sur une surface farinée, faites-la tomber, travaillez-la pendant 3 minutes, puis façonnez-la en un gros rouleau et faites-la glisser dans un moule à pain graissé.

7 Recouvrez le moule d'un film plastique légèrement huilé et mettez-le dans un endroit tiède jusqu'à ce que la pâte recommence à lever. Préchauffez le four à 200 °C (400 °F).

8 Faites cuire le pain pendant 25 minutes, jusqu'à ce qu'il soit doré et ferme sur le dessus. Démoulez-le et badigeonnez le dessus de miel pendant qu'il refroidit. Attendez qu'il soit froid pour le couper.

Petits pains au lait

Vous enchanterez vos invités en leur proposant ces délicieux petits pains dont vous pouvez varier les formes à votre gré.

POUR 12 À 16 PETITS PAINS
750 g (1 1/2 lb) de farine
2 cuillerées à thé de sel
25 g (1 oz) de beurre
1 sachet de levure de boulanger
450 ml (2 tasses) environ de lait tiède
lait froid, pour le glaçage
graines de pavot, de sésame et de
    tournesol ou gros sel de mer, pour garnir

1 Tamisez la farine et le sel dans un saladier ou un robot ménager. Émiettez-y le beurre, puis incorporez la levure.

2 Travaillez la pâte en ajoutant délicatement le lait. Versez celui-ci par étapes, car vous n'aurez peut-être pas besoin de toute la quantité, pour obtenir une pâte ferme.

3 Travaillez à la main pendant au moins 5 minutes ou au robot pendant 2 minutes. Placez dans un bol, couvrez de film plastique huilé et laissez lever jusqu'à ce que la pâte ait doublé de volume.

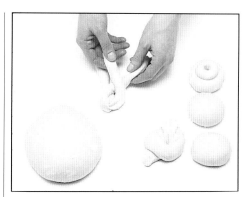

4 Sortez la pâte du bol, faites-la retomber et travaillez-la encore, puis divisez-la en 12 à 16 morceaux. Façonnez des ronds ou des formes amusantes.

5 Placez sur une plaque à pâtisserie huilée, glacez le dessus avec du lait et saupoudrez avec les graines de votre choix ou avec du gros sel.

6 Laissez la pâte lever à nouveau pendant que vous préchauffez le four à 230 °C (450 °F). Faites rôtir les petits pains 12 minutes, jusqu'à ce qu'ils soient dorés et cuits. Laissez refroidir sur une grille. Mangez le jour même car le pain maison rassit vite.

Pains indiens frits à la poêle

Dans cette pâte, la levure est remplacée par du bicarbonate de soude. Les épices indiennes traditionnelles donnent une délicieuse saveur.

POUR 24 PAINS
250 g (8 oz) de farine complète
250 g (8 oz) de farine ordinaire
1 cuillerée à thé de sel
1 cuillerée à thé de sucre
2 cuillerées à thé de bicarbonate de soude
2 cuillerées à thé de graines de cumin
2 cuillerées à thé de graines de moutarde
    noire
1 cuillerée à thé de graines de fenouil
450 g (1 lb) de yaourt nature
6 cuillerées à soupe de beurre clarifié
5 cuillerées à soupe d'huile de tournesol

1 Mélangez les farines avec le sel, le sucre, le bicarbonate de soude et les épices. Mélangez avec le yaourt pour obtenir une pâte ferme. Ajoutez le yaourt par étapes car vous n'aurez peut-être pas besoin de toute la quantité.

2 Si la pâte est trop sèche, ajoutez lentement de l'eau froide, jusqu'à obtenir la consistance souhaitée. Couvrez et mettez 2 heures au réfrigérateur.

3 Divisez la pâte en 24 morceaux. Étalez-les en galettes rondes et fines. Empilez les galettes sous un torchon propre pendant que vous étalez le reste.

4 Faites frire les pains par lots dans un quart du mélange d'huile et de beurre. Ajoutez du beurre et de l'huile à chaque nouveau lot. Égouttez sur du papier absorbant et mettez-les sous un torchon. Servez avec des currys et des raitas.

Gâteau de fête au chocolat

Ce savoureux gâteau garni d'un glaçage de ganache est facile à préparer. Il est idéal pour un jour de fête.

POUR 6 À 8 PERSONNES
115 g (4 oz) de farine à gâteaux (avec levure)
3 cuillerées à soupe de cacao
1 cuillerée à thé de levure chimique
120 g (5 oz) de beurre ramolli ou de margarine de tournesol
120 g (5 oz) de sucre cristallisé
3 œufs battus
2 cuillerées à soupe d'eau
POUR LE GLAÇAGE
150 g (5 oz) de chocolat noir
150 ml (2/3 tasse) de crème double
1 cuillerée à thé d'essence de vanille
2 cuillerées à soupe de marmelade d'abricots ou de framboises

1 Graissez et farinez un moule à manqué rond et profond. Préchauffez le four à 160 ˚C (325 ˚F).

2 Mettez tous les ingrédients du gâteau dans un saladier ou un robot ménager. Mélangez bien avec une cuillère en bois ou au robot, jusqu'à obtenir un mélange lisse et crémeux.

3 Versez la pâte dans le moule et mettez au four 40 à 45 minutes. Retournez sur une grille et laissez refroidir dans le moule pendant 15 minutes, puis démoulez et réservez pour faire complètement refroidir.

4 Pour le glaçage, cassez le chocolat dans un récipient et versez la crème et l'essence de vanille. Faites fondre au bain-marie, ou au four à micro-ondes pendant 2 à 3 minutes.

5 Laissez refroidir le glaçage en mélangeant de temps en temps et mettez-le au réfrigérateur. Coupez le gâteau en deux. Étalez la marmelade, puis la moitié du glaçage sur une moitié du gâteau.

6 Posez l'autre moitié du gâteau et étalez le reste du glaçage dessus en dessinant de jolies volutes ou des motifs avec le bout d'un couteau de table. Décorez à votre goût avec des sucreries, des bougies ou des fleurs comestibles.

Gâteau de la Passion

Ce gâteau est traditionnellement servi le dimanche de la Passion. La carotte et la banane lui donnent une texture humide et riche.

POUR 6 À 8 PERSONNES
200 g (7 oz) farine à gâteaux (avec levure)
2 cuillerées à soupe de levure chimique
1 cuillerée à thé de cannelle moulue
1/2 cuillerée à thé de muscade
   fraîchement râpée
120 g (5 oz) de beurre ramolli ou de
   margarine de tournesol
120 g (5 oz) de sucre brun
zeste râpé de 1 citron
2 œufs battus
2 carottes grossièrement râpées
1 banane mûr écrasée
115 g (4 oz) de raisins secs
50 g (2 oz) de noix ou de noix de pécan
   hachées
2 cuillerées à soupe de lait
POUR LE GLAÇAGE
200 g (7 oz) de fromage crémeux ramolli
30 g (1 1/2 oz) de sucre glace
jus de 1 citron
zeste râpé de 1 orange
12 à 16 cerneaux de noix
sucre candi, pour saupoudrer

1 Chemisez et graissez un moule à manqué profond. Préchauffez le four à 180 ˚C (350 ˚F). Tamisez la farine, la levure et les épices dans un saladier.

2 Avec un fouet électrique, mélangez le beurre et le sucre avec le zeste de citron, puis incorporez les œufs. Ajoutez le mélange de farine, puis les carottes, la banane, les raisins secs, les noix et le lait.

3 Disposez le mélange dans le moule, égalisez la surface et mettez au four 1 heure environ, jusqu'à ce que le gâteau ait levé et que le dessus soit élastique. Retournez le moule et laissez refroidir 30 minutes. Démoulez sur une grille.

4 Une fois que le gâteau est froid, coupez-le en deux. Mélangez le fromage avec le sucre glace, le jus de citron et le zeste d'orange. Tartinez la base du gâteau avec la moitié du glaçage et posez le sommet du gâteau dessus.

5 Étalez le reste du glaçage sur le dessus, en faisant de jolies volutes. Décorez de cerneaux de noix et saupoudrez de sucre candi.

Yaourt aux abricots et aux pistaches

Laissez égoutter un yaourt épais toute une nuit : il deviendra encore plus épais et savoureux. Ajoutez des abricots au miel et des pistaches, et vous obtiendrez un dessert simple mais original.

POUR 4 PERSONNES
450 g (1 lb) de yaourt grec
175 g (6 oz) d'abricots secs coupés en morceaux
1 cuillerée à soupe de miel clair
zeste d'orange râpé
2 cuillerées à soupe de pistaches non salées grossièrement hachées
cannelle moulue

VARIANTE

Pour un dessert plus simple, égouttez les fruits, couvrez-les de yaourt et saupoudrez de cassonade et d'un peu d'épices mélangées ou de cannelle.

1 Mettez le yaourt dans un tamis fin et laissez-le égoutter toute la nuit au réfrigérateur, au-dessus d'un bol.

2 Jetez le petit lait du yaourt. Placez les abricots dans une casserole, recouvrez-les d'eau et faites frémir 3 minutes pour les amollir. Égouttez et laissez refroidir, puis mélangez avec le miel.

3 Mélangez le yaourt au zeste d'orange et aux pistaches. Présentez dans des coupes à glace, saupoudrez d'un peu de cannelle et mettez au réfrigérateur.

Salade fraîche à l'ananas

Cette salade très rafraîchissante peut être préparée à l'avance. L'eau de fleur d'oranger la parfume délicieusement.

POUR 4 PERSONNES
1 petit ananas mûr
sucre glace, selon le goût
1 cuillerée à soupe d'eau de fleur d'oranger, ou plus selon le goût
115 g (4 oz) de dattes fraîches, dénoyautées et coupées en quatre
225 g (8 oz) de fraises fraîches, en rondelles
quelques sommités de menthe fraîche, pour servir

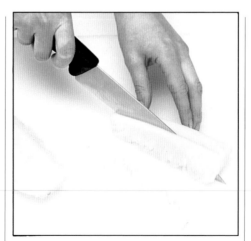

1 Enlevez l'écorce de l'ananas et retirez les « yeux ». Coupez en quartiers dans le sens de la longueur, enlevez le cœur et coupez en tranches.

2 Disposez l'ananas dans un joli bol en verre peu profond. Saupoudrez de sucre et versez quelques gouttes d'eau de fleur d'oranger.

3 Ajoutez les dattes et les fraises, couvrez et mettez au réfrigérateur 2 heures, en mélangeant une ou deux fois. Servez assez froid, en décorant de quelques sommités de menthe.

Meringue aux noix et aux framboises

Pour réussir cette meringue, montez des blancs en neige très fermes afin qu'ils se maintiennent bien quand vous y incorporerez les noix. Si possible, assemblez les différentes couches juste avant de servir.

POUR 4 À 6 PERSONNES
3 blancs d'œufs
quelques gouttes de jus de citron frais
175 g (6 oz) de sucre cristallisé
75 g (3 oz) de noix finement hachées
200 ml (3/4 tasse) de crème fraîche ou double
quelques gouttes d'essence de vanille
sucre glace, selon le goût
450 g (1 lb) de framboises fraîches

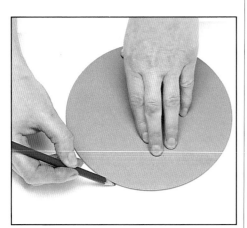

1 Préchauffez le four à 160 °C (325 °F). Tracez trois cercles de 20 cm (8 po) de diamètre sur du papier sulfurisé. Placez les cercles sur des plaques à pâtisserie.

LE CONSEIL DU CHEF

Lorsque vous préparez des recettes n'utilisant que des jaunes d'œufs, ne jetez pas les blancs : non seulement ils se congèlent très bien, mais des blancs congelés font une bien plus belle mousse que des blancs frais. Conservez-les par lots de trois ou quatre.

2 Fouettez les blancs d'œufs dans un bol parfaitement propre avec quelques gouttes de jus de citron (la mousse sera plus stable).

3 Une fois que les blancs forment une mousse peu ferme, incorporez progressivement le sucre jusqu'à ce que le mélange soit épais et brillant. Ajoutez rapidement et délicatement les noix.

4 Étalez le mélange sur les trois cercles de papier. Mettez au four 40 à 50 minutes, jusqu'à ce que la meringue soit ferme et craquante sur le dessus. Vous devrez peut-être la cuire en plusieurs fois.

5 Laissez refroidir sur une grille et enlevez le papier. Conservez dans un récipient hermétique jusqu'au moment de servir.

6 Fouettez la crème fraîche ou double avec la vanille et le sucre, jusqu'à ce que le mélange soit assez ferme.

7 Mettez de côté quelques framboises pour décorer, écrasez les autres et mélangez-les à la crème.

8 Étalez le mélange sur les trois meringues. Posez-les l'une sur l'autre et décorez le dessus avec les framboises entières réservées.

Bananes au rhum cuites au four

Ce dessert est rapide et facile à préparer. Une fois cuites, les bananes développent tout leur arôme, encore rehaussé par le rhum et l'orange. Servez ce plat avec quelques gouttes de crème.

POUR 4 PERSONNES
4 bananes
zeste et jus de 1 orange
2 cuillerées à soupe de rhum ambré
50 g (2 oz) de sucre brun (facultatif)
1 bonne pincée de gingembre moulu
muscade fraîchement râpée
40 g (1 1/2 oz) de beurre

1 Préchauffez le four à 180 °C (350 °F). Pelez les bananes et coupez-les en rondelles dans quatre grands ramequins.

2 Répartissez le jus d'orange et le rhum sur les bananes. Saupoudrez de sucre, si vous en utilisez, de zeste d'orange et d'épices. Posez dessus de petites noisettes de beurre.

3 Couvrez les ramequins de petits morceaux de papier d'aluminium et mettez au four 15 minutes. Laissez un peu refroidir avant de servir avec de la crème ou du yaourt nature.

Barres au muesli

Au lieu d'acheter des barres de céréales, assez coûteuses, préparez-les vous-même : c'est facile et le résultat sera bien meilleur. Utilisez du muesli sans sucre ajouté.

POUR 12 À 16 BARRES
350 g (12 oz) de muesli
5 cuillerées à soupe d'huile de tournesol
5 cuillerées à soupe de miel clair
1 cuillerée à thé d'épices mélangées
1 œuf battu
30 g (1 1/2 oz) de mélasse (facultatif)

LE CONSEIL DU CHEF

Préparez vous-même votre muesli : sélectionnez les ingrédients dans un magasin d'alimentation diététique et faites le mélange. Choisissez de grands flocons d'avoine à porridge, des flocons d'orge et de froment, puis ajoutez des graines, des fruits secs et des noix selon votre goût. Vous obtiendrez de grandes quantités et ainsi, vous mangerez beaucoup de muesli !

1 Préchauffez le four à 160 °C (325 °F). Graissez et chemisez un moule à pâtisserie peu profond.

2 Mélangez tous les ingrédients et mettez-les dans le moule. Nivelez.

3 Mettez au four 30 à 35 minutes, jusqu'à ce que les bords soient légèrement brunis. Sortez du four, laissez un peu refroidir, puis tracez avec un couteau des lignes de coupe.

4 Laissez refroidir, retournez sur une grille et cassez suivant les lignes. Conservez dans une boîte hermétique.

Brownies aux flocons d'avoine et aux dattes

Servez ces brownies pour un brunch ou à l'heure du thé. Le secret pour obtenir des brownies moelleux est de ne pas trop les faire cuire.

POUR 16 BROWNIES
150 g (5 oz) de chocolat noir
50 g (2 oz) de beurre
75 g (3 oz) de flocons d'avoine à porridge à cuisson rapide
3 cuillerées à soupe de germes de blé
25 g (1 oz) de lait en poudre
1/2 cuillerée à thé de levure chimique
1/2 cuillerée à thé de sel
50 g (2 oz) de noix hachées
50 g (2 oz) de dattes hachées
50 g (2 oz) de mélasse
1 cuillerée à thé d'essence de vanille
2 œufs battus

1 Cassez le chocolat dans un bol supportant la chaleur et ajoutez le beurre. Faites fondre au bain-marie, ou au four à micro-ondes à puissance maximale pendant 2 minutes, en mélangeant une fois.

2 Laissez refroidir le chocolat, en mélangeant de temps en temps. Graissez et chemisez un moule à gâteau carré de 20 cm (8 po) de côté. Préchauffez le four à 180 °C (350 °F).

3 Mélangez tous les ingrédients secs dans un saladier, puis incorporez le chocolat fondu, la vanille et les œufs.

4 Versez le mélange dans le moule, nivelez et mettez au four 20 à 25 minutes. La pâte doit être ferme sur les bords mais moelleuse au centre.

5 Laissez refroidir les brownies dans le moule, puis mettez-les au réfrigérateur. Quand ils sont plus solides, démoulez-les et coupez-les en 16 carrés. Conservez-les dans une boîte hermétique.

LE CONSEIL DU CHEF

Ces brownies font de délicieux en-cas que vous pourrez emporter au bureau ou en pique-nique. Si vous les conservez un jour ou deux avant de les manger, ils seront encore plus moelleux.

Cake aux fruits

Un cake aux fruits se conserve assez longtemps ; il est donc idéal pour les visites imprévues ou comme petite gourmandise occasionnelle.

POUR 8 À 10 PERSONNES
225 g (8 oz) de beurre ramolli ou de margarine de tournesol
225 g (8 oz) de sucre brun
4 œufs battus
1 cuillerée à soupe de mélasse noire
350 g (12 oz) de farine
1 cuillerée à thé d'épices mélangées
3 cuillerées à soupe de lait
900 g (2 lb) de fruits secs mélangés (raisins, cassis, cerises par exemple)
50 g (2 oz) d'amandes effilées
zeste râpé de 1 citron
quelques moitiés d'amandes mondées (facultatif)
un peu de lait, pour glacer (facultatif)
2 cuillerées à soupe de cognac ou de rhum (facultatif)

1 Préchauffez le four à 140 °C (275 °F). Graissez et chemisez un moule à cake de 20 cm (8 po) bien profond avec une double épaisseur de papier sulfurisé.

2 Réduisez le beurre ou la margarine en crème avec le sucre. Ajoutez les œufs et la mélasse, et fouettez pour obtenir un mélange crémeux.

3 Tamisez la farine et les épices et incorporez-les au mélange, en alternant avec le lait. Ajoutez les fruits secs, les amandes et le zeste de citron.

4 Mettez le mélange dans le moule. Si vous aimez, trempez les moitiés d'amandes dans un peu de lait et disposez-les dessus.

5 Mettez dans le bas du four et faites cuire 3 heures environ. Vérifiez la cuisson en piquant une brochette fine au milieu : celle-ci doit ressortir propre. Le dessus du cake doit être assez ferme.

6 Laissez refroidir 10 minutes, puis, si vous utilisez du cognac ou du rhum, faites de petits trous sur le dessus du cake avec une brochette fine. Versez doucement l'alcool sur le cake.

7 Laissez complètement refroidir le cake dans le moule, puis démoulez et enlevez le papier. Enveloppez le cake dans du papier sulfurisé et du papier d'aluminium, et conservez-le dans un récipient hermétique pendant une semaine avant de le couper.

Gâteau au riz thaï

Ce gâteau thaï très parfumé est réservé aux jours de fête. Ne contenant pas de farine, il convient aux personnes allergiques au gluten. Décorez-le avec un assortiment de fruits frais ou avec du chocolat fondu – écrivez par exemple un message avec une poche à douille.

POUR 8 À 10 PERSONNES
225 g (8 oz) de riz parfumé thaï ou de riz au jasmin
1 l (4 1/2 tasses) de lait
115 g (4 oz) de sucre en poudre
6 gousses de cardamome écrasées
2 feuilles de laurier
300 ml (1 1/4 tasse) de crème double
6 œufs, blancs et jaunes séparés
POUR LE GLAÇAGE
300 ml (1 1/4 tasse) de crème double
200 g (7 oz) de babeurre
1 cuillerée à thé d'essence de vanille
zeste râpé de 1 citron
30 g (1 1/2 oz) de sucre en poudre
baies et tranches de carambole ou de kiwi, pour décorer

1 Graissez et chemisez un moule à manqué rond et profond, de 25 cm (10 po) de diamètre. Faites bouillir le riz dans de l'eau non salée pendant 3 minutes, puis égouttez.

2 Remettez le riz dans la casserole avec le lait, le sucre, la cardamome et le laurier. Portez à ébullition, puis baissez le feu et laissez frémir 20 minutes, en mélangeant de temps en temps.

3 Laissez refroidir, puis enlevez le laurier et la cardamome. Versez dans un saladier. Incorporez la crème puis les jaunes d'œufs. Préchauffez le four à 180 °C (350 °F).

VARIANTE

Si vous préférez un gâteau plus simple, démoulez-le et posez dessus des fruits en tranches ou un assortiment de baies et de cerises dénoyautées. Servez le glaçage séparément – rendez-le un peu plus liquide en ajoutant un peu de lait.

4 Fouettez les blancs d'œufs jusqu'à ce qu'ils soient assez fermes et incorporez-les au mélange de riz. Versez dans le moule et mettez au four 45 à 50 minutes. Le centre doit être un peu tremblotant.

5 Laissez dans le moule et mettez une nuit au réfrigérateur. Démoulez. Fouettez la crème double jusqu'à ce qu'elle soit ferme, puis incorporez le babeurre, la vanille, le zeste de citron et le sucre.

6 Couvrez le dessus et les côtés du gâteau avec la crème, en dessinant de jolies volutes. Décorez de baies et de tranches de carambole ou de kiwi.

Crumble aux pommes et aux abricots 🍂

Pour obtenir un contraste délicieux entre les fruits tendres et la garniture croquante, faites légèrement cuire les pommes avant de mettre le tout au four.

POUR 4 À 6 PERSONNES
425 g (15 oz) de moitiés d'abricots au jus naturel en boîte
450 g (1 lb) de pommes à cuire, pelées et coupées en quartiers
sucre cristallisé, selon le goût (facultatif)
zeste râpé de 1 orange
muscade fraîchement râpée, selon le goût
POUR LA GARNITURE
200 g (7 oz) de farine
50 g (2 oz) de flocons d'avoine à porridge
120 g (5 oz) de beurre ou de margarine de tournesol
50 g (2 oz) de sucre brun
cassonade, pour saupoudrer

1 Préchauffez le four à 190 ˚C (375 ˚F). Égouttez les abricots en gardant un peu de jus.

2 Mettez les pommes dans une casserole avec un peu du jus d'abricot réservé et du sucre. Laissez frémir 5 minutes pour attendrir les fruits.

3 Dans un plat allant au four, mélangez les pommes aux abricots, au zeste d'orange et à la muscade.

4 Mélangez la farine, les flocons d'avoine et le beurre ou la margarine jusqu'à obtenir de fines boulettes (vous pouvez utiliser un robot ménager si vous préférez). Ajoutez le sucre brun.

5 Répartissez régulièrement le crumble sur les fruits. Saupoudrez d'un peu de cassonade. Mettez au four 30 minutes environ, jusqu'à ce que le dessus soit doré et croustillant. Laissez un peu refroidir avant de servir.

Gâteau aux pommes à la française

Ce gâteau moelleux et fruité est parfait pour un dessert, servi avec un peu de crème ou de fromage frais.

POUR 6 À 8 PERSONNES
450 g (1 lb) de pommes à cuire, épluchées et coupées en morceaux
115 g (4 oz) de farine à gâteaux (avec levure)
1 cuillerée à thé de levure chimique
115 g (4 oz) de sucre en poudre
6 cuillerées à soupe de lait
50 g (2 oz) de beurre fondu
3 œufs
1 cuillerée à thé de muscade fraîchement râpée
POUR LA GARNITURE
75 g (3 oz) de beurre ramolli ou de margarine de tournesol
115 g (4 oz) de sucre en poudre
1 cuillerée à thé d'essence de vanille
sucre glace tamisé, pour saupoudrer

1 Préchauffez le four à 160 °C (325 °F). Graissez et chemisez le fond d'un moule à manqué profond, de 23 cm (9 po) de diamètre.

2 Posez les morceaux de pomme dans le fond du moule.

3 Mettez tous les autres ingrédients, à l'exception d'un œuf, dans un saladier ou un robot ménager. Fouettez pour obtenir une pâte lisse.

4 Versez la pâte dans le moule sur les pommes, puis mettez au four 40 à 45 minutes, jusqu'à ce que le biscuit soit légèrement doré.

5 Pendant ce temps, fouettez les ingrédients de la garniture avec l'œuf restant. Sortez le gâteau du four et versez dessus la garniture.

6 Remettez au four 20 à 25 minutes, jusqu'à ce que la garniture soit dorée. Laissez refroidir dans le moule, puis retournez et terminez en saupoudrant de très peu de sucre glace.

VARIANTE

On utilise trop rarement des fruits frais dans les gâteaux ; c'est dommage, car ils donnent une saveur et une texture délicieuses. Essayez par exemple des poires ou de l'ananas coupés en petits morceaux, ou encore des framboises entières.

Fromage frais au chocolat et au citron

Vous hésitez à manger un peu de bon chocolat noir ? Vous oubliez qu'il est riche en fer et donc excellent pour la santé ! Faites contraster sa texture épaisse avec la légèreté d'un bon fromage frais.

POUR 4 PERSONNES
120 g (5 oz) de chocolat noir
3 cuillerées à soupe d'eau
1 cuillerée à soupe de rhum, de cognac ou de whisky (facultatif)
zeste râpé de 1 citron
200 g (7 oz) de fromage frais allégé
POUR DÉCORER
kumquats, en rondelles
sommités de menthe

LE CONSEIL DU CHEF

Si vous faites chauffer le chocolat trop rapidement, ses éléments solides « prendront » et feront des grumeaux ; il n'y a alors plus rien à faire pour obtenir une sauce lisse.

1 Cassez le chocolat dans un bol supportant la chaleur. Ajoutez l'eau et faites fondre très doucement au bain-marie, ou dans un four à micro-ondes à puissance maximale pendant 2 minutes.

2 Mélangez bien jusqu'à ce que le chocolat soit lisse, puis laissez refroidir 10 minutes. Incorporez l'alcool si vous en utilisez, ainsi que le zeste de citron et le fromage frais.

3 Disposez dans 4 verres à vin élégants et mettez au réfrigérateur pour faire prendre. Décorez de kumquats et de sommités de menthe.

Terrine à l'orange, au miel et à la menthe 🍃

Très rafraîchissant et facile à préparer, ce dessert est idéal pour terminer un repas riche et copieux.

POUR 6 PERSONNES
8 à 10 oranges
600 ml (2 1/2 tasses) de jus d'orange frais
2 cuillerées à soupe de miel clair
4 cuillerées à thé d'agar-agar
3 cuillerées à soupe de menthe fraîche hachée
feuilles de menthe pour décorer (facultatif)

1 Râpez le zeste de 2 oranges et réservez. Enlevez la peau et les membranes de toutes les oranges, coupez la chair en rondelles fines, en éliminant les pépins et en récupérant le jus.

2 Faites chauffer le jus d'orange (plus ce que vous aurez récupéré) avec le miel, le zeste réservé et l'agar-agar. Mélangez jusqu'à dissolution complète.

3 Empilez les rondelles d'orange dans un moule à pain de 1 kg (2 lb), en disposant de la menthe entre les couches. Versez doucement le jus d'orange chaud. Tapotez le moule pour que le jus traverse les couches.

4 Mettez la terrine au réfrigérateur toute une nuit. Démoulez sur un plat humide. Décorez de feuilles de menthe. Servez coupé en tranches épaisses.

Halva

N'hésitez pas à préparer vous-même ce dessert grec. Vous pouvez soit le servir chaud, soit le laisser prendre et le couper en tranches ou en carrés.

POUR 12 À 16 PIÈCES
400 g (14 oz) de sucre cristallisé
1 l (4 1/2 tasses) d'eau
2 bâtons de cannelle
225 ml (8 oz) d'huile d'olive
350 g (12 oz) de semoule
75 g (3 oz) d'amandes mondées,
   6 à 8 amandes séparées en lobes, le reste haché
120 ml (4 oz) de miel clair
cannelle moulue, pour servir

1 Réservez 4 cuillerées à soupe de sucre et faites dissoudre le reste dans l'eau à feu doux, en mélangeant.

2 Ajoutez la cannelle, portez à ébullition, puis laissez frémir 5 minutes. Laissez refroidir et enlevez la cannelle.

3 Faites bien chauffer l'huile d'olive dans une grande casserole à fond épais et versez la semoule. Laissez cuire en mélangeant de temps en temps, jusqu'à ce que la semoule prenne une couleur dorée, puis ajoutez les amandes hachées et laissez cuire encore 1 minute.

4 À feu doux, incorporez le sirop. Portez le mélange à ébullition en remuant constamment. Quand il est lisse, retirez du feu et incorporez le miel.

5 Laissez un peu refroidir et ajoutez le restant de sucre. Versez le halva dans un moule peu profond, graissé et chemisé, égalisez et marquez des carrés.

6 Saupoudrez légèrement le halva de cannelle et posez une moitié d'amande sur chaque carré. Une fois le halva pris, coupez et servez.

Sundae au riz Condé

Faites cuire ce pudding sur le feu plutôt qu'au four : sa texture sera crémeuse et légère. Agrémentez de fruits, d'amandes grillées et de sauce chaude au chocolat.

POUR 4 PERSONNES
50 g (2 oz) de riz rond
600 ml (2 1/2 tasses) de lait
1 cuillerée à thé d'essence de vanille
1/2 cuillerée à thé de cannelle moulue
30 g (1 1/2 oz) de sucre cristallisé
POUR SERVIR
fraises, framboises ou cassis
sauce au chocolat
amandes effilées grillées

1 Mettez le riz, le lait, la vanille, la cannelle et le sucre dans une casserole de taille moyenne. Portez à ébullition en remuant constamment, puis baissez le feu pour que le mélange frémisse doucement.

2 Faites cuire le riz pendant 30 à 40 minutes, en mélangeant de temps en temps. Ajoutez du lait si le mélange réduit trop rapidement.

3 Vérifiez que les grains sont tendres, puis retirez la casserole du feu et laissez refroidir en remuant de temps en temps. Une fois refroidi, mettez le riz au réfrigérateur.

4 Avant de servir, mélangez le riz et présentez-le dans des coupes surmonté de fruits, de sauce au chocolat et d'amandes.

VARIANTE

Les puddings au lait connaissent un regain de popularité bien mérité. Pour raffiner le pudding, essayez un riz parfumé thaïlandais ou du riz au jasmin. Si vous souhaitez une texture plus ferme, utilisez un riz italien arborio. Ce n'est pas la peine d'utiliser du lait entier : un pudding préparé avec du lait demi-écrémé ou même écrémé sera plus sain et aussi bon.

Tarte aux poires et aux noisettes

Voici un délicieux dessert, idéal pour un déjeuner du dimanche. Les noisettes moulues sont de plus en plus faciles à trouver.

POUR 6 À 8 PERSONNES
115 g (4 oz) de farine ordinaire
115 g (4 oz) de farine complète
115 g (4 oz) de margarine de tournesol
3 cuillerées à soupe d'eau
POUR LA GARNITURE
50 g (2 oz) de farine à gâteaux (avec levure)
115 g (4 oz) de noisettes moulues
1 cuillerée à thé d'essence de vanille
50 g (2 oz) de sucre en poudre
50 g (2 oz) de beurre ramolli
2 œufs battus
3 cuillerées à soupe de marmelade de framboises
400 g (14 oz) de poires au jus naturel en boîte
quelques noisettes hachées, pour décorer

1 Mélangez les farines dans un saladier, puis incorporez la margarine jusqu'à obtenir de fines boulettes. Ajoutez de l'eau pour faire une pâte ferme.

2 Étalez la pâte et disposez-la dans un moule à tarte. Coupez ce qui dépasse, puis appuyez fermement sur les bords pour que la pâte dépasse à nouveau un peu. Piquez le fond, tapissez de papier sulfurisé et remplissez de haricots. Mettez 30 minutes au réfrigérateur.

3 Préchauffez le four à 200 °C (400 °F). Placez le moule sur une plaque à pâtisserie et faites cuire 20 minutes, en retirant le papier et les haricots au cours des cinq dernières minutes.

4 Pendant ce temps, mélangez tous les ingrédients de la garniture, à l'exception de la marmelade et des poires. Si le mélange est un peu épais, ajoutez un peu de jus de poire.

5 Ramenez la température du four à 180 °C (350 °F). Étalez la marmelade sur le fond de tarte et versez la garniture dessus.

6 Égouttez bien les poires et disposez-les, côté coupé en dessous, sur la garniture. Saupoudrez de noisettes hachées et mettez au four 30 minutes, jusqu'à ce que la garniture ait levé et soit dorée.

VARIANTE

Cette tarte est également délicieuse avec des amandes moulues et des abricots ou des morceaux d'ananas en boîte. Pour les inconditionnels du chocolat, ajoutez 2 cuillerées à soupe de poudre de cacao à la farine de la garniture (et même à la pâte, si vous voulez une saveur encore plus riche et chocolatée) et un peu de zeste de citron râpé. Vous pouvez aussi remplacer la marmelade de framboises par de la pâte de chocolat à tartiner.

Compote aux trois fruits

Le mélange de fruits secs et de fruits frais est délicieux, surtout si vous le parfumez délicatement avec un peu d'eau de fleur d'oranger. Des boulettes façonnées dans la chair du melon avec une cuillère spéciale donneront un aspect raffiné à la compote.

POUR 6 PERSONNES
175 g (6 oz) d'abricots secs
1 petit ananas mûr
1 petit melon mûr
1 cuillerée à soupe d'eau de fleur d'oranger

1 Mettez les abricots dans une casserole d'eau. Portez à ébullition, puis laissez frémir 5 minutes. Laissez refroidir.

2 Pelez l'ananas, coupez-le en quartiers et retirez le cœur. Coupez la chair en bouchées.

3 Videz le melon et formez des boulettes dans la chair. Réservez le jus qui s'écoule des fruits et mettez-le dans les abricots.

4 Incorporez l'eau de fleur d'oranger et mélangez tous les fruits. Versez dans un joli plat de service et mettez un peu au frais avant de servir.

VARIANTE

Une bonne salade de fruits, ce n'est certainement pas un triste mélange de fruits multicolores nageant dans un sirop douceâtre! Oubliez l'habituel mélange de pommes, d'oranges et de raisins et donnez un thème à vos salades – un assortiment de baies rouges ou de fruits verts par exemple. Un seul fruit joliment préparé, complété d'un peu de sucre et de jus de citron frais, peut être délicieux. En règle générale, n'utilisez pas plus de trois fruits dans une même salade, pour que les saveurs ne se confondent pas.

Tarte aux fruits rouges sur crème au citron

Idéale pour les chaudes journées d'été, cette tarte sera meilleure si vous la garnissez juste avant de servir, car la pâte restera bien croustillante. Sélectionnez un assortiment de fruits rouges – fraises, framboises et groseilles par exemple.

POUR 6 À 8 PERSONNES
150 g (5 oz) de farine ordinaire
25 g (1 oz) de farine de maïs
30 g (1 1/2 oz) de sucre glace
100 g (3 1/2 oz) de beurre
1 cuillerée à thé d'essence de vanille
2 jaunes d'œufs battus
POUR LA GARNITURE
200 g (7 oz) de fromage crémeux ramolli
3 cuillerées à soupe de lemon curd (crème de citron)
zeste râpé et jus de 1 citron
sucre glace (facultatif)
225 g (8 oz) de fruits rouges mélangés
3 cuillerées à soupe de gelée de groseilles

1 Tamisez ensemble les farines et le sucre glace, puis mélangez au beurre jusqu'à obtenir de petites boulettes. Vous pouvez utiliser un robot ménager.

2 Fouettez les jaunes d'œufs avec la vanille, puis versez le mélange dans les boulettes pour obtenir une pâte ferme. Ajoutez un peu d'eau froide si nécessaire.

3 Étalez la pâte et garnissez un moule à tarte de 23 cm (9 po) de diamètre, coupez la pâte qui dépasse du moule et appuyez bien sur les côtés. Piquez le fond de la tarte avec une fourchette et laissez-la reposer 30 minutes au réfrigérateur.

4 Préchauffez le four à 200 °C (400 °F). Doublez le fond de tarte avec du papier sulfurisé et mettez des haricots dessus. Placez le moule sur une plaque à pâtisserie et faites cuire 20 minutes, en retirant le papier et les haricots au cours des cinq dernières minutes. Une fois cuit, laissez refroidir le fond de tarte et démoulez-le.

VARIANTE

Vous pouvez varier cette recette de bien des façons. Saupoudrez par exemple de sucre glace pour remplacer la gelée de groseilles ou décorez avec des feuilles de menthe fraîche ou quelques rondelles de kiwi ou de banane.

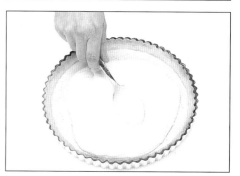

5 Réduisez en crème le fromage, le lemon curd, le zeste et le jus de citron, en ajoutant du sucre glace si vous le souhaitez. Étalez le mélange dans le fond de tarte.

6 Garnissez de fruits. Faites chauffer la gelée de groseilles et versez-la doucement sur les fruits juste avant de servir.

Glace à l'avocat et au citron vert

Dans beaucoup de pays, les avocats sont couramment servis en dessert. En fait, leur texture riche est parfaite pour préparer une glace crémeuse et savoureuse.

POUR 4 À 6 PERSONNES
4 jaunes d'œufs
300 ml (1 1/4 tasse) de crème épaisse ou de crème fouettée
115 g (4 oz) de sucre cristallisé
2 avocats mûrs
zeste râpé de 2 citrons verts
jus de 1 citron vert
2 blancs d'œufs
quelques pistaches non salées, pour servir

1 Fouettez les jaunes d'œufs. Faites chauffer la crème avec le sucre, en remuant jusqu'à ce qu'il soit dissout.

2 Au point d'ébullition, quand la crème monte jusqu'au bord de la casserole, retirez-la du feu.

3 Ajoutez doucement les jaunes d'œufs dans la crème, en versant de haut et petit à petit, pour empêcher le mélange de cailler. Laissez refroidir, en mélangeant de temps en temps, puis mettez au réfrigérateur.

LE CONSEIL DU CHEF

Si vous avez une sorbetière, versez simplement le mélange dans le bol et mettez l'appareil en marche. Ce n'est pas la peine d'ajouter de blancs d'œufs car les pales de la sorbetière aèrent suffisamment la préparation.

4 Pelez et écrasez les avocats jusqu'à ce qu'ils soient lisses, puis mélangez-les à la crème avec le zeste et le jus de citron. Goûtez et ajoutez éventuellement du sucre : la crème doit à ce stade être bien sucrée car une fois glacée, sa saveur s'atténue.

5 Versez le mélange dans une boîte peu profonde et congelez jusqu'à obtenir une consistance de neige fondue. Battez bien une fois ou deux pour empêcher la formation de cristaux.

6 Montez les blancs en neige et incorporez-les à la glace. Remettez le mélange au congélateur et laissez-le jusqu'à ce qu'il soit ferme. Couvrez et étiquetez. Servez dans un délai de quatre semaines, décoré de pistaches.

Mincemeat épicé au miel et au citron

Comme le Christmas pudding, le mincemeat est meilleur si on le prépare quelques semaines à l'avance pour que les saveurs se développent.

POUR 1,5 KG (3 LB)
150 g (6 oz) de beurre glacé, grossièrement râpé
225 g (8 oz) de raisins de Corinthe
1 grosse pomme grossièrement râpée
zeste râpé de 2 citrons
zeste râpé et jus de 1 orange
115 g (4 oz) de pruneaux hachés
115 g (4 oz) de dattes dénoyautées hachées
150 g (6 oz) de raisins secs
225 g (8 oz) de raisins de Smyrne
115 g (4 oz) d'amandes effilées
6 cuillerées à soupe de miel clair
4 cuillerées à soupe de cognac ou de rhum
1 cuillerée à thé d'épices mélangées
1/2 cuillerée à thé de clous de girofle moulus ou de quatre-épices

1 Mélangez bien tous les ingrédients dans un saladier. Couvrez et mettez deux jours au réfrigérateur, en mélangeant de temps en temps.

2 Stérilisez des bocaux à confiture en les mettant 30 minutes dans un four chaud. Laissez refroidir, puis remplissez de mincemeat et fermez avec des disques de paraffine et des couvercles.

Cookies à la cannelle

L'odeur des petits gâteaux maison en train de cuire est irrésistible! Alors, préparez ces cookies aux épices et aux amandes et régalez-vous!

POUR 24 COOKIES
2 cuillerées à soupe de mélasse noire
50 g (2 oz) de beurre
115 g (4 oz) de farine
1/4 cuillerée à thé de bicarbonate de soude
1/2 cuillerée à thé de gingembre moulu
1 cuillerée à thé de cannelle moulue
40 g (1 1/2 oz) de sucre brun
1 cuillerée à soupe d'amandes moulues
1 jaune d'œuf
115 g (4 oz) de sucre glace tamisé

1 Faites chauffer la mélasse et le beurre jusqu'à ce qu'ils commencent à fondre.

2 Tamisez la farine dans un saladier avec le bicarbonate et les épices, puis ajoutez le sucre et les amandes.

3 Ajoutez la mélasse et le jaune d'œuf, mélangez vivement et ramenez les ingrédients ensemble pour former une pâte ferme mais souple.

4 Étalez la pâte sur une surface légèrement farinée, sur une épaisseur de 5 mm (1/4 po), et découpez des formes à l'emporte-pièce – étoiles, cœurs, cercles, etc. Étalez à nouveau les chutes pour faire d'autres petits gâteaux. Placez sur une plaque à pâtisserie très légèrement graissée et mettez 15 minutes au réfrigérateur.

5 Pendant ce temps, préchauffez le four à 190 °C (375 °F). Piquez légèrement les biscuits avec une fourchette et mettez au four 12 à 15 minutes, jusqu'à ce qu'ils soient juste fermes. Laissez refroidir sur des grilles pour qu'ils deviennent croustillants.

6 Pour décorer, mélangez le sucre glace avec un peu d'eau tiède pour qu'il soit légèrement coulant et versez sur les biscuits posés sur la grille.

Mince pies à l'orange et à la cannelle

Les mince pies bien parfumés que l'on fait soi-même sont incomparables à ceux du commerce.

POUR 18 PIÈCES
225 g (8 oz) de farine
30 g (1 1/2 oz) de sucre glace
2 cuillerées à thé de cannelle moulue
120 g (5 oz) de beurre
zeste râpé de 1 orange
4 cuillerées à soupe environ d'eau glacée
225 g (8 oz) de mincemeat végétarien
1 œuf battu, pour glacer
sucre glace, pour saupoudrer

1 Tamisez ensemble la farine, le sucre glace et la cannelle, puis incorporez le beurre jusqu'à obtenir des boulettes. Vous pouvez utiliser un robot ménager. Ajoutez le zeste d'orange râpé.

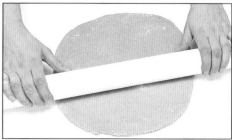

2 Façonnez une pâte ferme en rajoutant de l'eau glacée. Travaillez légèrement, puis étalez sur 5 mm (1/4 po) d'épaisseur.

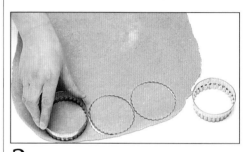

3 Avec un emporte-pièce rond de 7 cm (2 1/2 po) de diamètre, découpez 18 cercles. Récupérez les chutes de pâte, étalez-les à nouveau et découpez 18 cercles plus petits, de 5 cm (2 po).

4 Disposez les 18 grands cercles sur 2 plaques à pâtisserie – vous ne remplirez que la moitié de la seconde plaque. Déposez une petite cuillerée de mincemeat dans chaque fond de pâte et posez dessus les petits cercles de pâte en pressant légèrement les bords pour fermer.

5 Glacez le dessus des pies à l'œuf et laissez reposer 30 minutes au réfrigérateur. Préchauffez le four à 200 ℃ (400 ℉).

6 Mettez les pies au four 15 à 20 minutes, jusqu'à ce qu'ils soient dorés. Débarrassez. Servez tiède, saupoudré de sucre glace.

Christmas pudding

Si possible, préparez ce pudding au moins un mois avant Noël afin de laisser le temps aux saveurs de bien se développer. Les pruneaux et les abricots secs lui donnent une texture et une saveur particulières.

POUR 2 PUDDINGS DE 1 L (4 TASSES)
275 g (10 oz) de chapelure fraîche
225 g (8 oz) de beurre glacé, grossièrement râpé
115 g (4 oz) de farine
225 g (8 oz) de sucre brun
2 cuillerées à soupe d'épices moulues mélangées
350 g (12 oz) de raisins de Corinthe
350 g (12 oz) de raisins secs ordinaires
225 g (8 oz) de raisins de Smyrne
150 g (6 oz) de pruneaux dénoyautés hachés
115 g (4 oz) d'abricots secs hachés
115 g (4 oz) de fruits confits hachés
115 g (4 oz) de cerises confites lavées et hachées
zeste râpé de 1 gros citron
4 œufs battus
2 cuillerées à soupe de mélasse noire
150 ml (2/3 tasse) de bière ou de lait
4 cuillerées à soupe de cognac ou de rhum

1 Graissez 2 bols à pudding de 1 l (4 tasses) et tapissez le fond de 2 petits disques de papier sulfurisé.

2 Mélangez bien tous les ingrédients. Si vous voulez mettre des porte-bonheur dans le mélange, enveloppez-les dans du papier d'aluminium.

3 Répartissez le mélange dans 2 bols, en pressant légèrement.

4 Couvrez chaque pudding avec du papier sulfurisé graissé et une double épaisseur de papier d'aluminium. Fixez le pourtour avec de la ficelle de cuisine.

5 Faites cuire les puddings au bain-marie pendant 6 heures environ, en vérifiant régulièrement le niveau d'eau et en rajoutant de l'eau bouillante si nécessaire.

6 Une fois les puddings cuits, laissez-les refroidir, enlevez le papier d'aluminium et le papier sulfurisé, puis recouvrez-les pour les conserver. Le jour de Noël, faites-les bouillir 2 heures environ et servez-les avec du beurre aromatisé au cognac et de la crème ou de la sauce anglaise.

Index

A

Abricots : crumble aux pommes et
    aux abricots, 236
    yaourt aux abricots et aux pistaches, 226
Aïoli : antipasti et aïoli, 214
Amandes : gombos épicés aux amandes à
    l'indienne, 158
Ananas : salade fraîche à l'ananas, 226
Aneth : blinis au maïs, sauce à l'aneth, 39
    concombre à l'aneth à la scandinave, 150
    petits paniers de légumes au gingembre
    et à l'aneth, 194
Antipasti et aïoli, 214
Artichauts : artichauts farcis, 34
    crêpes aux artichauts et aux poireaux, 120
Asperges : asperges mimosa, 170
    rouleaux croustillants aux asperges, 192
Assortiment de légumes et lentilles
    à la bolognaise, 82
Aubergines : bateaux d'aubergines, 180
Imam Bayildi, 29
    moussaka de fête, 189
    sauté d'aubergine, 166
Avocats : avocats tièdes avec une garniture
    piquante, 36
    glace à l'avocat et au citron vert, 246
    guacamole dans des feuilles rouges, 33
Avoine : brownies aux flocons d'avoine et aux
    dattes, 232

B

Bananes : bananes au rhum cuites au four, 230
Barres au muesli, 230
Bateaux d'aubergines, 180
Bâtonnets : bâtonnets au beurre de
    cacahuètes, 55
    bâtonnets de polenta aux fèves et à la
    tomate, 186
Beignets : beignets de légumes
    au tzatziki, 198
    beignets de tomates en croûte de polenta, 42
Betteraves : bortsch, 24
    roulade de betteraves, 202
    salade de pâtes et de betteraves, 206
Blinis au maïs, sauce à l'aneth, 39
Bortsch, 24
Bouillon de légumes, 14
Boulettes : cassolette d'hiver et boulettes aux
    herbes, 117
    malfattis à la sauce rouge, 210
Brocolis : crêpe au risotto et au brocoli, 122
    soupe au brocoli et au bleu de Brie, 20
Brownies aux flocons d'avoine
    et aux dattes, 232

Bruschetta avec du fromage de chèvre et de la
    tapenade, 36
Burgers de haricots aduki, 78

C

Cacahuètes (beurre de) : bâtonnets au beurre
    de cacahuètes, 55
Cake aux fruits, 233
Camembert frit, 214
Cannelle : cookies à la cannelle, 248
    mince pies à l'orange et à la cannelle, 250
Carbonara de champignons au piment, 44
Carottes : salade d'endive, de carottes et de
    roquette, 146
Cardamome : pain brioché à la cardamome
    et au safran, 221
Cassolette d'hiver et boulettes aux herbes, 117
Champignons : carbonara de champignons
    au piment, 44
    champignons aillés, 26
    champignons magnifiques, 156
    chaussons feuilletés aux champignons, 116
    pâté aux champignons et aux noix, 212
    pâtes et champignons sauvages au four, 180
    soucoupes de champignons, 198
    stroganoff aux champignons variés, 52
    velouté de champignons, 22
Chaussons feuilletés aux champignons, 116
Chili con Queso, 100
Chocolat : fromage frais au chocolat
    et au citron, 238
    gâteau de fête au chocolat, 224
Chou : chou farci au couscous, 128
    chou poêlé, 160
    irish colcannon, 132
    purée au chou et au fromage, 46
    roulés de chou, sauce au citron, 130
Chou-fleur : curry aux gros haricots et au
    chou-fleur, 137
    gratin de chou-fleur et d'œufs fromagé, 67
    velouté de chou-fleur épicé à l'indienne, 18
Choux de Bruxelles : choux de Bruxelles
    sautés, 172
    jalousie des jours de fête, 90
Christmas pudding, 250
Chutney : sauce à tremper au curry et au
    chutney à la mangue, 212
    toasts au fromage et au chutney, 46
Citron : fromage frais au chocolat
    et au citron, 238
    glace à l'avocat et au citron vert, 246
    mincemeat épicé au miel et au citron, 248
    roulés de chou, sauce au citron, 130
    tarte aux fruits rouges sur crème
    au citron, 245

Coleslaw maison, 208
Compote aux trois fruits, 244
Concombre : beignets de légumes
    au tzatziki, 198
    concombre à l'aneth à la scandinave, 150
Consommé à la fleur d'œuf, 20
Cookies à la cannelle, 248
Courges magnifiques, 93
Courgettes : pain en couronne
    à la courgette, 218
    pizza à l'oignon rouge et à la courgette, 87
    quiche aux courgettes, 79
Couscous : chou farci au couscous, 128
    couscous épicé, 129
Crêpes : crêpes aux artichauts et aux
    poireaux, 120
    crêpe au risotto et au brocoli, 122
    galette de crêpes, 184
    voir aussi : Roulade
Croissants d'épinards à la grecque, 94
Crudités au houmous, 72
Crumble aux pommes et aux abricots, 236
Curry : curry aux gros haricots
    et au chou-fleur, 137
    curry de tofu thaï, 88
    sauce à tremper au curry et au chutney à la
    mangue, 212
    tourte de panais au curry, 106

D

Dattes : brownies aux flocons d'avoine
    et aux dattes, 232
Dhal chaud et épicé, 165

E

Épinards : croissants d'épinards
    à la grecque, 94
    épinards à l'orientale, 82
    gnocchis d'épinards, 134
    malfattis à la sauce rouge, 210
    pilaf aux pistaches et couronne
    d'épinards, 104
    pudding de pain aux épinards, 105
    roulade d'épinards, 154
    salade californienne, 150
    tagliatelles aux épinards, au soja
    et au fromage à l'ail, 75
Endives : salade d'endive, de carottes
    et de roquette, 146

F

Falafels, 84
Fenouil et tomates braisés, 174
Fèves : bâtonnets de polenta aux fèves et à la
    tomate, 186

Flocons d'avoine : brownies aux flocons
    d'avoine et aux dattes, 232
Fougasse au romarin, 218
Framboises : meringue aux noix
    et aux framboises, 228
Fricassée savoureuse, 99
Fromage : bruschetta avec du fromage
    de chèvre et de la tapenade, 36
    camembert frit, 214
    garniture au maïs à la crème
        et au fromage, 54
    gougère au fromage, 126
    gratin de chou-fleur et d'œufs fromagé, 67
    lasagnes aux poireaux et au fromage de
        chèvre, 123
    malfattis à la sauce rouge, 210
    pâté de haricots borlotti et de ricotta, 26
    pommes de terre au fromage bleu
        et aux noix, 76
    purée au chou et au fromage, 46
    salade tricolore, 32
    saucisses de Glamorgan, 124
    soufflé de macaronis, 63
    soufflés de fromage de chèvre cuits
        deux fois, 30
    soupe au brocoli et au bleu de Brie, 20
    spaghettis à la feta, 76
    tagliatelles aux épinards, au soja
        et au fromage à l'ail, 75
    tartelettes au paprika et au parmesan, 186
    toasts au fromage et au chutney, 46
Fromage frais au chocolat et au citron, 238
Fruits : cake aux fruits, 233
    compote aux trois fruits, 244
    tarte aux fruits rouges sur crème au citron,
        245

G

Galette de crêpes, 184
Garniture : garniture au maïs à la crème et au
        fromage, 54
    garniture aux haricots rouges, 54
    garniture de légumes à la sauce de soja, 54
Gaspacho, 206
Gâteau : cake aux fruits, 233
    gâteau au riz thaï, 234
    gâteau aux pommes à la française, 237
    gâteau de fête au chocolat, 224
    gâteau de la Passion, 225
Gingembre : petits paniers de légumes au
        gingembre et à l'aneth, 194
Quorn avec gingembre, piment et poireaux, 70
Glace à l'avocat et au citron vert, 246
Gnocchis d'épinards, 134
Gombos épicés aux amandes à l'indienne, 158

Gougère au fromage, 126
Gratin : gratin dauphinois de pommes de terre
        et de panais, 170
    gratin de chou-fleur et d'œufs fromagé, 67
Guacamole dans des feuilles rouges, 33

H

Hachis parmentier, 92
Halva, 240
Haricots : burgers de haricots aduki, 78
    chilli con Queso, 100
    curry aux gros haricots et au chou-fleur, 137
    garniture aux haricots rouges, 54
    hachis parmentier, 92
    pâté de haricots borlotti et de ricotta, 26
    pâtes aux gros haricots blancs
        et au pistou, 52
    pommes de terre à la chinoise avec haricots
        rouges, 71
    potée du cow boy, 64
    riz et haricots à la créole, 84
    riz thaï et haricots germés, 146
    salade de haricots et de noix, 148
    sauté de haricots germés, 140
Houmous : crudités au houmous, 72

I

Imam Bayildi, 29
Irish colcannon, 132

J

Jalousie des jours de fête, 90
Julienne de légumes au coulis de poivrons
    rouges, 102

K

Kitchiri, 49
Koulibiac de lentilles vertes, 96

L

Lait : petits pains au lait, 222
Laitue : petits pois et laitue, 168
    soupe chinoise au tofu et à la laitue, 16
Lasagnes : lasagnes aux poireaux et au
        fromage de chèvre, 123
    roulés de lasagnes, 118
Légumes : antipasti et aïoli, 214
    assortiment de légumes et lentilles à la
        bolognaise, 82
    beignets de légumes au tzatziki, 198
    bouillon de légumes, 14
    cassolette d'hiver et boulettes
        aux herbes, 117
    fricassée savoureuse, 99
    garniture de légumes à la sauce de soja, 54

julienne de légumes au coulis de poivrons
    rouges, 102
légumes d'hiver crémeux, 174
légumes farcis à la grecque, 86
légumes grillés et leur sauce, 182
légumes méditerranéens au sésame, 28
légumes sous une croûte crémeuse et
    légère, 108
légumes tempura, 38
orge et pain fromagé, 100
paella de légumes, 94
pâtes à la caponata, 132
petits paniers de légumes au gingembre et à
    l'aneth, 194
ratatouille légère, 62
riz et légumes sautés, 64
riz sauvage et légumes en julienne, 190
terrine de légumes du jardin, 183
tofu et légumes croquants, 58
Lentilles : assortiment de légumes et lentilles
    à la bolognaise, 82
    kitchiri, 49
    koulibiac de lentilles vertes, 96
    pain de lentilles et de noix des jours de
        fête, 112
    riz et lentilles à la persane
        avec un tahdeeg, 196
    roulés de lasagnes, 118
    salade de riz basmati et de lentilles
        du Puy, 190
    sauce de lentilles à la bolognaise, 118

M

Macaronis : soufflé de macaronis, 63
Maïs : blinis au maïs, sauce à l'aneth, 39
    garniture au maïs à la crème
        et au fromage, 54
    velouté de maïs doux et de pommes
        de terre, 15
Malfattis à la sauce rouge, 210
Mangue : sauce à tremper au curry et au
    chutney à la mangue, 212
Mayonnaise maison, 152
Meringue aux noix et aux framboises, 228
Menthe : terrine à l'orange, au miel et à la
    menthe, 238
Miel : mincemeat épicé au miel
    et au citron, 248
    terrine à l'orange, au miel et
        à la menthe, 238
Mince pies à l'orange et à la cannelle, 250
Mincemeat épicé au miel et au citron, 248
Minestrone traditionnel, 23
Moussaka de fête, 189
Muesli : barres au muesli, 230

N

Navets : tourte aux navets et aux pois
chiches, 98
Nids d'oiseau, 200
Noix : meringue aux noix et aux
framboises, 228
pain de lentilles et de noix des jours
de fête, 112
pâté aux champignons et aux noix, 212
pilaf rapide de basmati et de noix, 68
pommes de terre au fromage bleu et aux
noix, 76
salade de haricots et de noix, 148
Noisettes : tarte aux poires et
aux noisettes, 242

O

Œufs : consommé à la fleur d'œuf, 20
crêpe au risotto et aux brocolis, 122
gratin de chou-fleur et d'œufs fromagé, 67
irish colcannon, 132
nids d'oiseaux, 200
œufs Bénédicte et sauce hollandaise vite
faite, 60
œufs de caille marbrés, 202
œufs foo yung, 59
œufs pour brunch à la mexicaine, 42
ratatouille légère, 62
roulade aux œufs et au sésame, 208
tortilla aux poivrons et pommes de terre, 66
Oignon : pizza à l'oignon rouge et à la
courgette, 87
Orange : mince pies à l'orange et à la
cannelle, 250
terrine à l'orange, au miel
et à la menthe, 238
Orge et pain fromagé, 100

P

Paella de légumes, 94
Paillassons de pommes de terre, 166
Pain : burgers de haricots aduki, 78
fougasse au romarin, 218
orge et pain fromagé, 100
pain bagna, 204
pain brioché à la cardamome
et au safran, 221
pain brun, 220
pain de lentilles et de noix des jours
de fête, 112
pain en couronne à la courgette, 218
pains indiens frits à la poêle, 222
petits pains au lait, 222
pudding de pain aux épinards, 105

salade à emporter, 201
salade du jardin et croûtons aillés, 149
salade panzanella, 140
sandwiches, petits pains et garnitures, 205
toasts au fromage et au chutney, 46
Pak choi : pois germés et pak choi, 88
Panais : gratin dauphinois de pommes de terre
et de panais, 170
pommes de terre et panais amandine, 108
tourte de panais au curry, 106
Paprika : tartelettes au paprika et au
parmesan, 186
Pâté : pâté aux champignons et aux noix, 212
pâté de haricots borlotti et de ricotta, 26
Pâtes : carbonara de champignons et de
piment, 44
courges magnifiques, 93
pâtes à la caponata, 132
pâtes aux gros haricots blancs
et au pistou, 52
pâtes et champignons sauvages au four, 180
salade de pâtes et de betteraves, 206
salade de pâtes tiède, 56
voir aussi : Lasagnes, Macaronis, Pennes,
Raviolis, Spaghettis, Tagliatelles
Pennes sauce « cancan », 56
Peperonata aux raisins secs, 153
Petits pains au lait, 222
Petits paniers de légumes au gingembre et à
l'aneth, 194
Petits pois et laitue, 168
Pilaf : pilaf aux pistaches et couronne
d'épinards, 104
pilaf rapide de basmati et de noix, 68
Piment : carbonara de champignons et de
piment, 44
Quorn avec gingembre,
piment et poireaux, 70
Pissaladière, 50
Pistaches : pilaf aux pistaches et couronne
d'épinards, 104
yaourt aux abricots et aux pistaches, 226
Pistou : pâtes aux gros haricots blancs
et au pistou, 52
Pizza : pizza à l'oignon rouge
et à la courgette, 87
pizzas pita, 74
Poireaux : crêpes aux artichauts
et aux poireaux, 120
lasagnes aux poireaux et au fromage de
chèvre, 123
Quorn avec gingembre, piment
et poireaux, 70
Poires : tarte aux poires
et aux noisettes, 242

Pois cassés : dhal chaud et épicé, 165
Pois chiches : crudités au houmous, 72
falafels, 84
paella de légumes, 94
tourte aux navets et aux pois chiches, 98
Pois germés et pak choi, 88
Poivrons : julienne de légumes au coulis
de poivrons rouges, 102
peperonata aux raisins secs, 153
poivrons farcis à la brésilienne, 124
poivrons grillés à l'huile, 162
tortilla aux poivrons et pommes de terre, 66
Polenta : bâtonnets de polenta aux fèves et à
la tomate, 186
beignets de tomates en croûte de polenta, 42
Pommes : crumble aux pommes
et aux abricots, 236
gâteau aux pommes à la française, 237
Pommes de terre : gratin dauphinois de
pommes de terre et de panais, 170
hachis parmentier, 92
irish colcannon, 132
paillassons de pommes de terre, 166
pommes au four aux trois garnitures, 54
pommes chips, 164
pommes de terre à la chinoise avec haricots
rouges, 71
pommes de terre au fromage bleu
et aux noix, 76
pommes de terre et panais amandine, 108
pommes de terre rôties, 173
pommes de terre sautées, 169
potée du cow boy, 64
purée au chou et au fromage, 46
purée de pommes de terre, 160
salade à emporter, 201
salade de pommes de terre
et de radis, 145
salade du Couronnement, 179
strudel de pommes de terre épicé, 178
tortilla aux poivrons et pommes de terre, 66
velouté de maïs doux et de pommes
de terre, 15
Potage d'hiver, 19
Potée du cow-boy, 64
Potiron : splendeur d'automne, 110
Pudding : Christmas pudding, 250
pudding de pain aux épinards, 105
Purée : purée au chou et au fromage, 46
purée de pommes de terre, 160

Q

Quiche : quiche à la ratatouille, 193
quiche aux courgettes, 79
Quorn avec gingembre, piment et poireaux, 70

R

Radis : salade de pommes de terre
et de radis, 145
Raisins secs : peperonata aux raisins secs, 153
Ratatouille : quiche à la ratatouille, 193
ratatouille légère, 62
Raviolis maison, 114
Rhum : bananes au rhum cuites au four, 230
Risotto : crêpe au risotto et au brocoli, 122
risotto primavera, 48
Rissoles de riz rouge, 136
Riz : crêpe au risotto et au brocoli, 122
gâteau au riz thaï, 234
kitchiri, 49
koulibiac de lentilles vertes, 96
œufs foo yung, 59
paella de légumes, 94
risotto primavera, 48
rissoles de riz rouge, 136
riz et haricots à la créole, 84
riz et légumes sautés, 64
riz et lentilles à la persane
avec un tahdeeg, 196
riz sauvage et légumes en julienne, 190
riz thaï et haricots germés, 146
salade de riz basmati et de lentilles
du Puy, 190
sundae au riz Condé, 241
voir aussi : Pilaf
Romarin : fougasse au romarin, 218
Roquette : salade d'endive, de carottes
et de roquette, 146
Roulade : roulade aux œufs et au sésame, 208
roulade d'épinards, 154
roulade de betteraves, 202
Rouleaux croustillants aux asperges, 192
Roulés : roulés de chou, sauce au citron, 130
roulés de lasagnes, 118

S

Safran : pain brioché à la cardamome et au
safran, 221
Salade : coleslaw maison, 208
salade à emporter, 201
salade Caesar, 142
salade californienne, 150
salade d'endive, de carottes
et de roquette, 146
salade de haricots et de noix, 148
salade de pâtes et de betteraves, 206
salade de pâtes tiède, 56
salade de pommes de terre et de radis, 145
salade de riz basmati et de lentilles
du Puy, 190

salade du chef, 144
salade du Couronnement, 179
salade du jardin et croûtons aillés, 149
salade fraîche à l'ananas, 226
salade gado gado, sambol
à l'arachide, 194
salade panzanella, 140
salade tricolore, 32
Sambol : salade gado gado, sambol
à l'arachide, 194
Sandwiches, petits pains et garnitures, 205
Satays au tofu, 188
Sauce : sauce à tremper au curry et au chutney
à la mangue, 212
sauce « cancan », 56
sauce « rapido », 45
sauce de lentilles à la bolognaise, 118
sauce hollandaise vite faite, 60
sauce tomate, 156
sauce végétarienne, 112
voir aussi : Mayonnaise, Vinaigrette
Saucisses de Glamorgan, 124
Sauté : sauté d'aubergine, 166
sauté de haricots germés, 140
Sésame : crudités au houmous, 72
légumes méditerranéens au sésame, 28
roulade aux œufs et au sésame, 208
Soja : tagliatelles aux épinards, au soja et au
fromage à l'ail, 75
Soja (sauce de) : garniture de légumes à la
sauce de soja, 54
Soucoupes de champignons, 198
Soufflé : soufflé de macaronis, 63
soufflés de fromage de chèvre cuits
deux fois, 30
Soupe : bortsch, 24
consommé à la fleur d'œuf, 20
gaspacho, 206
minestrone traditionnel, 23
potage d'hiver, 19
soupe au brocoli et au bleu de Brie, 20
soupe chinoise au tofu et à la laitue, 16
soupe rouge, 16
voir aussi : Velouté
Spaghettis à la feta, 76
Splendeur d'automne, 110
Stroganoff aux champignons variés, 52
Strudel de pommes de terre épicé, 178
Sundae au riz Condé, 241

T

Taboulé, 72
Tagliatelles : tagliatelles aux épinards, au soja
et au fromage à l'ail, 75
tagliatelles sauce « rapido », 45

Tahdeeg : riz et lentilles à la persane
avec un tahdeeg, 196
Tapenade : bruschetta avec du fromage de
chèvre et de la tapenade, 36
Tarte : pissaladière, 50
tarte aux fruits rouges
sur crème au citron, 245
tarte aux poires et aux noisettes, 242
voir aussi : Quiche
Tartelettes au paprika et au parmesan, 186
Terrine : terrine de légumes du jardin, 183
terrine à l'orange, au miel
et à la menthe, 238
Toasts au fromage et au chutney, 46
Tofu : curry de tofu thaï, 88
satay au tofu, 188
soupe chinoise au tofu et à la laitue, 16
tofu et légumes croquants, 58
Tomates : bâtonnets de polenta aux fèves
et à la tomate, 186
beignets de tomates en croûte
de polenta, 42
fenouil et tomates braisés, 174
salade panzanella, 140
sauce tomate, 156
salade tricolore, 32
tagliatelles sauce « rapido »
Tagliatelles : tagliatelles aux épinards, au soja
et au fromage à l'ail, 75
tagliatelles sauce « rapido », 45
Tortilla aux poivrons et pommes de terre, 66
Tourte : tourte aux navets
et aux pois chiches, 98
tourte de panais au curry, 106
Tzatziki : beignets de légumes au tzatziki, 198
Velouté : velouté de champignons, 22
velouté de chou-fleur épicé à l'indienne, 18
velouté de maïs doux et de pommes
de terre, 15
Vinaigrette : vinaigrette au yaourt, 152
vinaigrette Thousand Islands originale, 152

Y

Yaourt : vinaigrette au yaourt, 152
yaourt aux abricots et aux pistaches, 226

Remerciements

Alcan Consumer Products,
Raans Rd,
Amersham,
Bucks. HP6 6JY
Tél. : 0494 721261

Bridgewater China
739 Fulham Road
London SW6
Tél. : 071 371 9033

Corning Consumer Ltd

Le Creuset, fourni par
The Kitchenware Merchants Ltd,
4 Stephenson Close,
East Portway,
Andover,
Hampshire SP10 3RU
Tél. : 0800 373792

The Denby Pottery Company Ltd,
Denby,
Derbyshire,
DE5 8NX
Tél. : 0773 743641

Plaque chauffante fournie par
Worldpool UK Ltd,
PO Box 45, 209 Purley Way,
Croydon CR9 4RY
Tél. : 081 649 5000

Kenwood Applicances,
New Lane,
Havant,
Hants, PO9 2NH
Tél. : 0705 476000

Lakeland Plastics Ltd,
Alexandra Buildings,
Wingermere,
Cumbria LA23 1BQ,
Tél. : 05394 88100

Oneida Silversmiths,
Pembroke House,
Pembroke Road,
Ruislip,
Middlesex HA4 8NQ
Tél. : 0895 639452

Prestige Group UK plc,
P.O. Box 95,
Colne Road,
Burnley,
Lancs. BB11 2AB
Tél. : 0282 830101

Tefal UK Ltd,
Service clients pour le Royaume-Uni 0604
762726

Victorinox Swiss Cutlery UK Ltd,
victorinox House,
160 Parker Drive,
Leicester LE4 0JP,
Tél. : 0533 351111